10歳までに身につけたい

一生困らない子どものマナー

この小さな習慣が、思いやりの心を育てます

西出ひろ子

川道映里

青春出版社

はじめに

この本《ほん》を読《よ》んでくれて、ありがとうございます。

わたしたちは、まいにち、おうちの人《ひと》や、学校《がっこう》などの先生《せんせい》、お友《とも》だちや、道《みち》をあるけば知《し》らない人《ひと》と会《あ》ったりしますね。

そういうときに、相手《あいて》を、イヤなきもちにさせないほうがいいですよね。

この本《ほん》は、みんなとなかよく生活《せいかつ》するためのマナー（礼儀《れいぎ》）を、わかりやすく、たのしく紹介《しょうかい》しています。

ひとりで読《よ》んでもいいですが、おうちの人《ひと》や、お友《とも》だちといっしょに読《よ》むと、楽《たの》しさも2倍《ばい》になりますよ。

マナーを身《み》につけると、ステキで、かわいくて、かっこよくなれます！　そして、おもいやりのある、やさしい子《こ》にもなれますよ。

この本《ほん》に出《で》てくる、まなちゃんやげんきくん、うさぎのみーこちゃんやキツネのこん、鳥《とり》のポッピーなどといっしょに、マナーを学《まな》んでいきましょう！

保護者の皆様へ

毎日の子育て、本当におつかれさまです。

本書は、お子様にもわかりやすい言葉で書かせていただきました。

保護者の皆様がお子様に優しく語りかけるようにお読みいただけますと、さらに気持ちが伝わるかと存じます。

本書が、お子様との良いコミュニケーション（マナーコミュニケーション®）をとる一助になれば幸いです。

そして、お子様だけでなく、保護者の皆様にとっても、あらためてマナーを見直すひとつのきっかけになれば嬉しいです。

もくじ

part1 家のなかでの基本のマナー
～家族みんなが気持ちよく暮らすために～

part2
どんなところでも恥をかかないテーブルマナー
～お箸、ナイフ、フォークの使い方から外食まで…～

part3 みんなと一緒の場での、思いやりのマナー

～街で、乗り物のなかで、結婚式やお葬式で…真心は形であらわせます～

カバー&本文イラスト&本文デザイン　ササキサキコ
DTP　センターメディア
企画協力　糸井浩

part1
家のなかでの基本のマナー

家族みんなが気持ちよく暮らすために

「おはよう」「おやすみなさい」は笑顔《えがお》をわすれずに

一日《いちにち》がはじまる朝《あさ》。目《め》が覚《さ》めたら自分《じぶん》に「おはよう」ってあいさつをしよう。次《つぎ》は、パパやママなどのおうちの人《ひと》やペットたちに、そして、おそとで人と会《あ》ったときも、「おはようございます」って、笑顔《えがお》で言《い》ってみよう。すると、みんなも笑顔になって、「おはよう」って、あいさつをしてくれるよ。

「おはようございます」には、「今日《きょう》も一日、よろしくお願《ねが》いします」「今日もみんなとなかよく元気《げんき》に過《す》ごします」っていう気持《きも》ちが込《こ》められているんだ。

夜《よる》、寝《ね》る前《まえ》には、みんなに「おやすみなさい」のあいさつをしようね。「おやすみなさい」には、「今日も一日、ありがとう」「ゆっくり寝て、明日《あした》も元気に会いましょうね」っていう意味《いみ》が込められているんだよ。

POINT

- あいさつは、相手の目を見て言うんだよ
- あいさつは、ニッコリ笑顔で言おうね
- 一日のはじまりと終わりのあいさつは必ずしようね

飼っているペットや家の中にあるお花（植物）にも「おはよう」と言うと、ペットとお花もニコニコ笑顔になります。

保護者の方へ

「おはようございます」と「おやすみなさい」は、日常生活の上でのあいさつとして、基本中の基本です。これらのあいさつはお子さんには意識しておこなっていると思いますが、例えば、大人同士であるパパとママや、ペットや植物に対してはいかがでしょうか。基本のあいさつは、まずは大人が見本を示すことで、子どももそれを真似します。

「行《い》ってきます」「ただいま」のあいさつは元気《げんき》に言《い》おう

お出《で》かけするときや、おうちに帰《かえ》ってきたときに、だまっているのと、あいさつをするのとでは、どっちがいいと思《おも》う？

おうちからだまって出《で》ていくと、おうちの人《ひと》は、みんながいつ、どこに行《い》ったのかわからなくて、心配《しんぱい》するよね。

また、だまっておうちに入《はい》ってこられたら、おうちの人がそれに気《き》づかず、ゴソゴソと物音《ものおと》がしたら、どろぼうが入ってきたのかとビックリするかもしれないね。

出かけるときにも、帰ってきたときにも、元気《げんき》に明《あか》るく「行ってきます」「ただいま」のごあいさつを忘《わす》れずにしようね。ちなみに、「ただいま」は、「ただいま、もどりました」「ただいま、帰りました」という言葉《ことば》をつづけるほうが、わかりやすくて、ていねいだよ。

POINT

- 出かけるときは元気に「行ってきます」
- 家に帰ってきたときは明るい声で「ただいま」
- あいさつは自分から先にしようね

「お父さん、お母さん、行ってきます」「お母さん、ただいま」
あいさつの前に相手に呼びかけると、
もっと気持ちが伝わります。

保護者の方へ

挨拶の意味をご存知でしょうか。あいさつの「挨」という字には心を開く、「拶」は相手に近づく、という意味があります。相手に対して自分の心を開き、相手にお近づきをして、よい関係を築くのが、本来の挨拶なのです。大切なお子さんに挨拶をする理由をきちんと伝えてあげると、納得して自然と挨拶をする子になります。

くつをぬいだら、そろえてる？

くつをぬぎっぱなしにしていませんか？

くつは、右《みぎ》と左《ひだり》の2つがあるよね。くつの右と左は、なかよしなんだ。だから、右と左のくつは、いつも一緒《いっしょ》にそろえてあげないと、かわいそうだよね。

くつのおうちは玄関《げんかん》だよね。きちんとそろえて、玄関のすみに置《お》くか、くつ箱《ばこ》（下駄箱《げたばこ》）に入れてあげようね。くつ箱（下駄箱）は、くつが、眠《ねむ》る場所《ばしょ》だよ。だから、くつにも、お昼寝《ひるね》や、夜《よる》はゆっくり眠《ねむ》らせてあげてね。

おうちの人やお客《きゃく》さんたちが、出かける前《まえ》には、はきやすいように、玄関の中央《ちゅうおう》にそろえてあげると親切《しんせつ》だよ。

よそのおうちに行《い》ったときにも、ぬいだくつは、きちんとそろえようね。また、学校《がっこう》や病院《びょういん》なども、くつをぬいであがる場所《ばしょ》でも、くつはそろえるんだよ。ぬいだくつを入れる場所があれば、そこに入れようね。

POINT

- くつの泥《どろ》や土を外でおとしてから玄関に入ろうね
- よそのおうちに行ったとき、ぬいだくつは、すみっこにおくんだよ
- おうちに帰ったとき、ぬいだくつは、くつ箱にしまおうね

くつのぬぎ方

くつをぬぐときは、おうちのなかに向かってぬぐよ。
おうちのなかにお尻をむけてぬがないでね。

おうちでは…

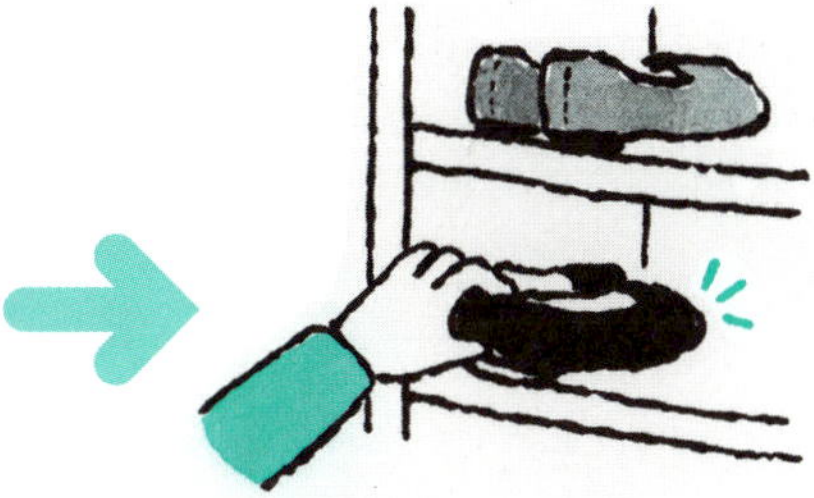

ぬいだくつは、くつ箱にしまおうね。

よそのおうちでは…

＊ひざをついて、くつをそろえて持ち、玄関のはしによせておこうね。
＊かかとを、くつ箱に向けておくと、完ぺきだよ。帰るときに、お宅の人が、はきやすいように、おき直してくれるよ。

お風呂《ふろ》をつかったあとに、やっておきたいこと

お風呂《ふろ》はみんなのからだを、キレイにしてくれる大切《たいせつ》な場所《ばしょ》だよね。だからお風呂にも、いつも「ありがとう」の気持《きも》ちをもって入《はい》ろうね。お風呂では、熱《あつ》いお湯《ゆ》とか、せっけんですべったりしないように、気《き》をつけてね。やけどをしたり、ケガをしたら大変《たいへん》だよ。だから、けっして、はしゃいで暴《あば》れたりしないようにね。

ほかの人もケガをしないように、せっけんの泡《あわ》は、キレイに洗《あら》い流《なが》そうね。また、つかったおけなどにも、感《かん》謝《しゃ》をこめて、お水をふきとってあげると親切だよね。

あそんだおもちゃも、キレイに洗《あら》ってふいてあげよう。そして、おもちゃに「おやすみなさい」「ありがとう」とあいさつをして、いつもの置《お》き場所にしまってあげてね。

POINT

- とびちっている石けんの泡は洗い流そうね
- つかったものは、元の位置にもどしてあげてね
- お風呂場から出る前に、つかった場所には
お湯をかけて洗い流してあげましょう
- お風呂場から出る前には、軽くカラダをふいて、
脱衣所をぬらさないようにしようね

お風呂で気をつけたいこと3つ

＊洗いおけは、さっと水で流し、元の場所にもどしましょう。

＊おもちゃは決められた場所にもどしておきましょう。

＊浴用タオルで体の水てきをふきとってから出ましょう。

保護者の方へ

自宅のお風呂場では市販のボディータオルやボディースポンジで体を洗う人が増えています。しかし、温泉などでは浴用のタオルを持ちこみますね。ご自宅でも浴用のタオルを使う機会を増やしてみてはいかがでしょうか。そうすることで、タオルをすすぐことや絞ること、体をふくといった動作を覚えられるようになります。

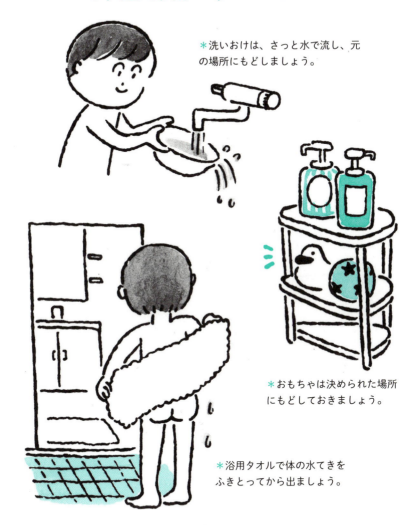

おうちトイレこそキレイにつかおう

おしっこやうんちは、トイレでするよね。トイレは、みんなが安心《あんしん》しておしっこやうんちをするための、大事《だいじ》な場所《ばしょ》なんだ。だから、いつも感謝《かんしゃ》の気持《きも》ちをもって、キレイにしてあげようね。

また、トイレは自分《じぶん》だけの場所じゃないよね。おうちの人たちもトイレをつかうよね。だから、ほかの人のためにも、便器《べんき》や床《ゆか》を汚《よご》したら、出《で》る前《まえ》にキレイにふいたり、スリッパは、ほかの人がはきやすいように、そろえて出たりするんだよ。

もしも、トイレットペーパーをつかい終えたら、新しいペーパーを入れておこうね。

トイレで気分《きぶん》が悪《わる》くなったり、うんちがでなくて、具《ぐ》合《あい》が悪くなったら、恥《は》ずかしがらずにおうちの人を呼《よ》んでみよう。自分ひとりで悩《なや》まないで、助《たす》けてもらおうね。

POINT

- 便器や床をよごしたら、キレイにしようね
（自分でできないときは、おうちの人に言おうね）
- 最後まで流れたかを確認してから便座のふたをしめようね
- トイレットペーパーがなくなったら、おうちの人につたえよう
- トイレで気分や具合が悪くなったら、おうちの人をよぼうね

おうちトイレでのお約束

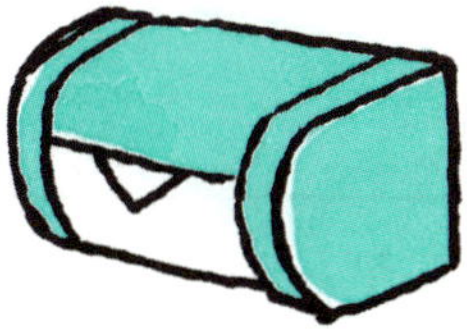

＊トイレットペーパーは三角おりにしません
三角おりにすることは「おそうじしましたよ」というサインです。

＊使いおえた便座のふたはしめようね。

＊水しぶきをとばさないように注意して。

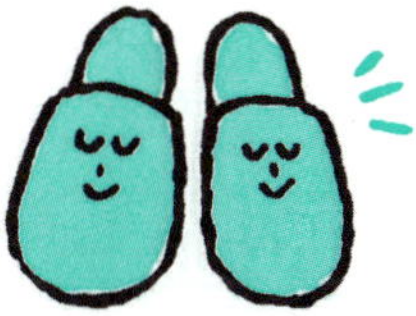

＊スリッパは向きを変えてそろえてね。

＊ドアをきちんとしめましょう。

＊出るときには、電気をけそうね。

保護者の方へ

トイレでのマナーは、おむつが取れた頃から、教えてあげましょう。「出るときには、ふたをしめようね」といった感じです。また、お子さんが一人でトイレに行けるようになった後、トイレ内で困ったことが起きても、恥ずかしくて言えない場合もあります。トイレからなかなか出てこないときは、声をかけてあげてくださいね。

トイレットペーパーがなくなったら？

トイレでトイレットペーパーをつかい終《お》わってしまった、ってことあるよね。トイレットペーパーを全部《ぜんぶ》つかい終えたら、どうしよう？　そのままにして、トイレから出ていく？

こういうときは、次《つぎ》にトイレに入《はい》る人《ひと》のことを考《かんが》えようね。そうすると、どうだろう？　次の人のために、新《あたら》しいトイレットペーパーを取《と》りつけてあげるといいね。

もし、取りつけるのがむずかしいときには、おうちの人に手伝《てつだ》ってもらおう。また、なくなってはいないけど、残《のこ》り少なくなってきているな、と思ったら、新《あたら》しいトイレットペーパーを準備《じゅんび》しておいてあげると、しんせつだね。

自分《じぶん》のことだけじゃなくって、次の人のことまで考えてあげる思《おも》いやりの気持《きも》ちをもつと、ほかの人たちは、困《こま》らなくてすむし、よろこんでくれるよ。

POINT

- 次につかう人のことを考えようね
- 新しいトイレットペーパーを入れよう
- 予備《よび》のトイレットペーパーを準備しておこう
- つかい終わったトイレットペーパーの芯《しん》は捨《す》てようね

新しいトイレットペーパーを入れましょう。
取りつけ方がわからないときは、
おうちの人に聞こう。

着《き》がえたあとのパジャマや洋服《ようふく》は片《かた》づける

みんなは、着《き》がえたあとのパジャマや洋服《ようふく》をどうしてる？　まさか、ぬぎっぱなしになんてしていないよね。おうちの人が片《かた》づけてくれるって、甘《あま》えてない？　みんながぬぎっぱなしにしていたら、ほかの誰《だれ》かがそれを片づけなきゃいけなくなるよね。自分でできることは、自分でやってみよう。

パジャマや洋服は、きれいにたたんで、おうちの人と決《き》めた場所《ばしょ》にしまおうね。また、コートやジャケットやワンピースなどは、しわにならないようにハンガーにかけるんだよ。

洗濯《せんたく》する下着《したぎ》やくつ下もぬぎっぱなしはダメだよ。ぬいだものを入れるところにおこう。洗《あら》ってかわいた下着やくつ下も、きちんとたたんで、タンスなどの決まった場所に入れようね。そうしていると、着たいときや、はきたいときに、すぐに取《と》り出せて便利《べんり》だよ。

POINT

- ぬぎっぱなしにすると、洋服は、ないちゃうよ
- 着るものは、たたんだり、ハンガーにかけたりするんだよ
- 着るものは、きまった場所にしまおうね
- せんたくに出すものは、きまった場所に置いておこう

ハンガーにかけたり、たたんだりしてるかな

＊パジャマはたたみましょう。
＊洋服や下着はきれいにたたんで、
決まった場所にしまいましょう。
※次の日に着る洋服やくつ下は、枕もとに
おいて準備して寝てもいいよ。

保護者の方へ

似たようなものがたくさんあったり、片づける場所が把握できていないと、子どもは、どこに何をどのようにしまえばよいのかわかりません。いまいちど、どこに何をどのようにしまっておくのか、そのご家庭でのルールを徹底させて、確認をしてみましょう。

人《ひと》に物《もの》をわたすときは、やさしくね

人にものをわたすときは、いきなりわたすと危《あぶ》ないこともあるよね。だから最初に、誰《だれ》にわたすのか、相手《あいて》を呼《よ》ぶところからはじめてみよう。たとえば、お母《かあ》さんに本《ほん》をわたすとき。「お母さん」と、まずは、呼びかけようね。すると、お母さんは、「はーい、なに?」って、返事《へんじ》をしてくれて、振《ふ》り向《む》いてくれるよ。

そうしたら、「本、持《も》ってきたよ」と言ってからわたす。みんながこんなふうにコミュニケーションをとってくれたら、お母さんもうれしいと思《おも》うよ。

わたすものが、もし、重《おも》たいものだったら「これ重たいよ」とか、熱《あつ》いものだったら、「熱いから気をつけて」などのひと言《こと》も伝《つた》えてあげると、とても親切《しんせつ》だよね。

おうちで一緒《いっしょ》にくらしている家族《かぞく》に、思《おも》いやりのあるやさしい気持《きも》ちをもって、それを言葉《ことば》と行動《こうどう》であらわせる人は、とても素敵《すてき》だね。

POINT

- 物をわたすときは、投げたり、片手で乱暴《らんぼう》にわたしちゃダメだよ
- 物をわたすときには、わたす相手に呼びかけよう
- どんなものをわたすのかを伝えてからわたそう
- うけとったら「ありがとう」「わかった」などのひと言を言おう

＊相手に当たってけがをしてしまうかもしれません。
＊本と床を傷つけてしまいます。

熱いものをだまってわたすとやけどするかもしれないよ。

ものは大切《たいせつ》に ていねいにあつかいましょう

みんながいつも遊《あそ》んでいるおもちゃやゲーム。これらは、「ひと」？　それとも、「もの」？

そう、「もの」だよね。人も大切《たいせつ》だけど、ものにも、思《おも》いやりのやさしい気持《きも》ちをもって、ていねいに、大切にあつかうことって、だいじなことだと思わない？　だって、ものたちも、いつも私《わたし》たちのために、がんばってくれているんだよ。

たとえば、おもちゃという「もの」を乱暴《らんぼう》にあつかったら、こわれてしまう。こわれたら、もう遊べないよ。

また、お花《はな》や木《き》などの植物《しょくぶつ》も「もの」だよね。植物たちは、私たちが生きるために必要《ひつよう》な酸素《さんそ》を生《う》み出してくれているね。だから、大事《だいじ》にしなくちゃいけないよね。

人も、ものも大事にできる人は、人やものからやさしくしてもらえます。お互《たが》いがお互いを思いやり合える関《かん》係《けい》ってステキだし、みんながハッピーになれていいね。

POINT

- おもちゃとか、机などのものにも思いやりの気持ちをもとうね
- お花や木などの植物も生き物だから、大切にしてね
- ものも、ていねいにやさしく両手で取り扱おう
- おもちゃなども心をこめて作った人の気持ちも忘れないで

おもちゃを片手であつかうと…

落としたり壊れたりします！
（とくに割れものは危険）
床を傷つけたり、あなたや家族がけがをするかもしれないよ。

いすを引くとき持ちあげないと…

床を傷つけるし、
いすの脚もいたんで
しまうよ。

保護者の方へ

物も生き物です。そう考えたときに、物も丁寧にあつかうことや、所定の位置に戻す、片づけるという気持ちが芽生えてくると思います。子どもがものを大切にしない背景には、それらも、生き物であるという観念がないからかもしれません。この場合は、ものに、名前をつけると愛着がわき、大切にあつかうようになります。

ドアをバタンとしめないこと

ドアをしめるときに、「バタン！」と大きな音《おと》をたてたら、みんなはどう思《おも》う？ ドアは、「イタイ！ イタイ！」って、ないちゃうよね。ドアをしめるときも、やさしく、ていねいにしめてあげよう。そうするためには、両《りょう》手《て》でゆっくりとしめてあげるといいよ。

また、人やペットや、ものをはさまないように、きちんと見《み》てから、しめるようにしよう。もし、誰《だれ》かがいることに気《き》づかず、勢《いきお》いよく「バタン」としめたら、ドアだけでなく、ほかの人や、ペットやものも、大《おお》けがをしてしまうから、じゅうぶんに気をつけようね。

「バタン」と音をたててドアをしめたら、その音にビックリして、心臓《しんぞう》発《ほっ》作《さ》などを引《ひ》き起《お》こす人もいるかもしれないから、ドアにも、やさしく接《せっ》するようにしようね。

POINT

- ドアも、両手でゆっくり、ていねいにしめよう
- 音をたてないようにしめてね
- 人やペットなどをはさまないように、まわりを見て確認をしてからしめようね

ドアが「痛い！」って
言ってるよ。

人や動物、ものをはさまない
ように、注意しましょうね。

出《で》かけるときはハンカチとティッシュをわすれない

公園《こうえん》で遊《あそ》んで手《て》を汚《よご》したときやトイレに行ったあとには、手を洗《あら》うよね。手を洗ったら、そのままにしてる？　みんなハンカチで手をふくよね。ぬれたままの手だと、お友《とも》だちや洋服《ようふく》をぬらしちゃうかもしれないから、ダメだよね。

ハンカチにも、いろんな素材《そざい》のハンカチがあるんだよ。手を洗ったときや、汗《あせ》をふくときには、水分《すいぶん》をよくすいとってくれる、タオル素材のものが役立《やくだ》つかもね。もちろん、コットン素材のハンカチでもいいよ。

また、鼻水《はなみず》や鼻血《はなぢ》が出たときに、かんだり、おさえたりするために、出かけるときには、ティッシュペーパーも持《も》っておこう。公園や洗面台《せんめんだい》などで、汚《よご》れている場所をふいたりもできて便利《べんり》だね。つかったティッシュペーパーは、ゴミ箱《ばこ》に捨《す》てようね。なければ、自分で持ち帰るのがマナーだよ。道に捨てたりしないようにね。

POINT

- ハンカチで手や汗をふこうね
- ハンカチは、毎日清潔なものを持ちあるこう
- つかったティッシュペーパーを道に捨てないようにね

ハンカチがあると…

＊手を洗った後にふくことができます。
＊汗をふくことができます。

ティッシュがあると…

＊鼻をかめます。
＊飲み物をこぼしたときに、ふくことができます。

爪《つめ》はきれいにしておく

爪《つめ》は、みんなの指《ゆび》を守《まも》ってくれる大切《たいせつ》なからだの一部《いちぶ》だって知《し》ってた？ だから、いつも、ていねいにお手入《てい》れをしてあげてね。爪を切《き》らないで、そのままにしておくと、どんどん伸《の》びてしまう。そうすると、爪にヒビがはいったり、折《お》れたりするんだよ。

それに、伸《の》びた爪は、なにかに引っかかって、はがれたりすることもあるんだ。そうなると、もっとイタくなって、そこからバイキンが入って、病気《びょうき》になることもあるんだよ。怖《こわ》いよね。だから、爪を切るようにしようね。

また、爪が長いと、遊《あそ》んでいるときに、お友だちをひっかいて、けがをさせちゃうこともある。大切《たいせつ》なものを傷《きず》つけてしまうこともあるよね。

爪は、毎日《まいにち》、元気《げんき》に成長《せいちょう》するから、伸びた爪は、安心《あんしん》して切ろうね。きちんと爪を切っていれば、健康《けんこう》な爪で、安全《あんぜん》で、元気な生活《せいかつ》をおくることができるよ。

POINT

- 伸びた爪を切るときは、爪切りや、爪専用のやすりをつかうよ
- 自分で切れないときは、おうちの人に切ってもらおう
- 深爪はしないようにしてね
- 自分の歯で爪をかんだり、かみ切ったり、指でむしったりしないでね

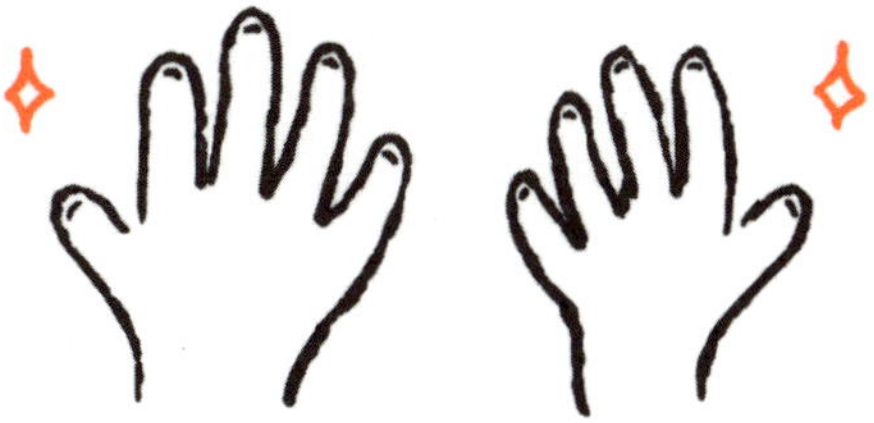

爪がのびていると…

お友だちをひっかいてしまったりして、けがをさせてしまうよ。

保護者の方へ

保護者の方も、毎日、いろいろとお忙しく大変だと思います。しかし、お子さんの体調や爪、皮膚の状態などに目配りをお願いいたします。まだ小さいお子さんの爪は、保護者の方が切ってあげますよね。ある程度、自分でできるようになったときも、そばについて見てあげ、上手く切れたら「上手！上手！」と手を叩きながら褒めてあげてください。また、ささくれや甘皮の処理もしてあげましょう。特にささくれは、お子さん自身でさわっていると腫《は》れてきたり、化膿したり、危険です。

ゴミはゴミ箱《ばこ》に捨《す》てる

ゴミがでたら、みんなはどうしてる？　まさか、そのまま、そこに置《お》きっぱなしになんてしていないよね。

ゴミがでたら、きちんとゴミ箱《ばこ》に入れようね。みんながそうしてくれたら、テーブルやお部屋《へや》は、いつもキレイで、よろこんでくれるよ。

また、みんながゴミを捨《す》ててくれると、おうちの人も助《たす》かるよ。だって、誰《だれ》もゴミを捨てなかったら、おうちの中はゴミだらけになっちゃうよね。そうすると、誰《だれ》かがゴミを捨てることになるでしょ？

おうちの人は、みんなのために、お買《か》い物《もの》に行ったり、ごはんを作ったり、おそうじをしたり、お仕事《しごと》をしたり、いろいろと忙《いそが》しいんだよ。ゴミをゴミ箱に捨てることも、お手伝《てつだ》いのひとつになるね。自分のゴミでなくても気づいたら捨てようね。そうしたら「ありがとう」って、ほめてもらえるよ。

POINT

●ゴミは自分でゴミ箱へ捨てよう
●ゴミは小さくして捨てよう
●ゴミは分別してから捨てよう
※ゴミの分けかたがわからないときは、おうちの人に聞こうね。

ゴミを捨てないと…

＊お部屋がくさくなっちゃうよ
＊ほこりやダニで、体調が悪くなるよ
＊ゴキブリが出てくるかもよ

和室《わしつ》でやってはいけないこと

わたしたちのからだには、骨《ほね》があって、その骨は骨格《こっかく》といって、からだのカタチをつくってくれているね。おうちにも、そのカタチをつくるのに大切《たいせつ》な骨となる柱《はしら》というものがあるんだよ。

和室《わしつ》には、柱とつながっている「敷居《しきい》」という大事《だいじ》な場所《ばしょ》がある。この敷居《しきい》をふんでしまうと、柱にも痛《いた》みが伝わって、おうち全体《ぜんたい》がゆがんで壊《こわ》れてしまうかもしれないんだ。だから、敷居《しきい》は、ふんではいけないところなんだよね。

和室は、日本《にほん》で生《う》まれたお部屋《へや》のつくりのこと。そこには、「床《とこ》の間《ま》」という場所もあって、ここは、お客さんを歓迎《かんげい》する気持ちをあらわす、だいじな場所なんだ。床の間には、掛《か》け軸《じく》やお花などをかざるんだよ。だから、ここに入ったり、ものを置《お》いたりしないように気をつけてね。

POINT

- 敷居や畳のへりをふんじゃダメだよ
- 床の間にものを置かないようにね
- 座布団をふんじゃダメなんだよ
- 座布団の上には立たないよ

敷居《しきい》や畳《たたみ》のへりに気をつけて！

敷居とは、部屋を仕切り、
ふすまや障子の下にしかれて
いる横木のこと

敷居や畳のへりは大事な場所
です。ふまないように気をつ
けます。

保護者の方へ

畳のへりを踏んではいけない理由は、畳のへりに、家紋を施していたためです。ですから、畳のへりを踏むということは、その家系を踏みつぶすという意味にとられるからなんですね。このような理由を含めて、和室での基本の動作は日本人として、覚えておきたいものです。まずは、ご自宅で正座をする機会をふやしてみてはいかがでしょうか。正座をすると、気持ちがシャキッとします。また、お座敷のあるお店で食事をするときは、ぜひお子さんと一緒にやってみましょう。ただし、足が痛くならない程度に、無理はしないようにしてくださいね。

ふすまや障子《しょうじ》の開《あ》け方《かた》

ふすまや障子《しょうじ》は、すぐに破《やぶ》れてしまうから、開《あ》けたりしめたりするときには、注意《ちゅうい》をしようね。さわってもいいのは、引《ひ》き手《て》（取手《とって》）と、へりと呼《よ》ばれている場所《ばしょ》なんだよ。そこを、手やゆびをつかって、やさしくていねいに開けしめをしようね。

ドアを開けるときには、ノックをするけど、ふすまや障子《しょうじ》は、やぶれてしまうから、ノックはしないんだよ。そのかわりに、「失礼します」と言ってから、開けたり、入《はい》ったりするのが、マナーなんだよね。

ふすまや障子《しょうじ》は、ゆっくりとていねいに開けしめをしようね。間違《まちが》っても、力《ちから》いっぱい、ばしゃーん！と開けたりしめたりしちゃダメだよ。ふすまや障子《しょうじ》、柱《はしら》やおうちを傷《きず》つけないように、大切にしようね。

POINT

- 正座をしてから、開け閉めをするんだよ
- ゆっくりと丁寧に開け閉めをしようね
- しょうじやふすまを破かないように気をつけようね

1 ふすまや障子に向かって、正座をします。

2 「失礼します」と言って、引き手に近い側の手で、引き手に手をかけ、約10センチ開けます。

3 そのまま、その手を、ふすまや障子のふちにつけて、自分の正面まで開けます。（ゆびはそろえておく）

4 自分の正面まで開けたら、もう一方の手のゆびをそろえて、胸の高さにあるふち（枠）に、ゆびをそえて、そのまま開けます。

5 「失礼します」と言って、中腰でたちあがり、中腰のまま和室に入ります。このとき、敷居や、畳のへりをふまないように、気をつけます。

（注：さまざまな流派などによって、開け方や閉め方の所作に違いがあります。ここでは、いちばんわかりやすく、簡単にできる所作をご紹介しています）

和室を知っておこう

part2

どんなところでも恥をかかない
テーブルマナー

お箸、ナイフ、フォークの使い方から外食まで…

食《た》べているときの音《おと》に気《き》をつけよう

ごはんを食《た》べるときは、キレイにお片《かた》づけをした部屋《へや》で食べましょう。おもちゃをそのままにしていると、おもちゃたちも、ごはんを食べたくなっちゃうよね。おもちゃは、ごはんを食べられないんだから、きちんと片《かた》づけてあげようね。

海外《かいがい》でも、食事《しょくじ》をするときのマナーを、みんな小《ちい》さいときから学んでいるんだよ。

食事中《しょくじちゅう》に、カトラリーと食器《しょっき》の「カチャカチャ」という音《おと》や、食べものをかむ「クチャクチャ」という音が聞《き》こえたら、みんなはどう感《かん》じますか。「うるさいなぁ〜」と思《おも》いませんか？　音を立《た》てずに食事をすることは、みんなと楽しくごはんを食べるためには、たいせつなことなんだね。

もし、咳《せき》やくしゃみ、げっぷが出てしまったら、「失《しっ》礼《れい》しました」と言《い》えば大丈夫《だいじょうぶ》だからね。

POINT

- 「いただきます」の前に、おもちゃを片づけようね
- ナイフやフォーク、スプーンのことをカトラリーというんだよ
- カトラリーや食器はていねいにあつかってね
- くしゃみや咳が出るときは、口をおさえてね

きれいなところでしずかにたのしく食べよう

ちらかっているところで食べると…

かたづけおばけが出てきちゃうから、
自分できれいにしておこうね。

食べているときの音は…

ガチャガチャ、くちゃくちゃは
耳ざわりだから、やめようね。

ナイフやフォーク、スプーンは音を立てないように丁寧に扱いましょう

保護者の方へ

講座などで、「お子さんに身につけてほしいマナーは何ですか」と質問すると、テーブルマナーが大多数を占めています。テーブルマナーのなかでも、特に、食事中の音は自分で気づかないことが多いので、その都度、お子さんに伝えてあげてください。また、カトラリーや食器などのモノに対しても、丁寧に扱うことを覚える機会となり、モノを大切にしようとする気持ちを育むこともできます。

食事中《しょくじちゅう》は歩《ある》きまわらない

食事中《しょくじちゅう》は、きちんと座《すわ》って、みんなが食《た》べ終《お》わるまで、立《た》ちあがったり、歩《ある》きまわったりしないようにね。どうしてか、って？　それは、みんなで、ごはんを作《つく》ってくれた人に感謝《かんしゃ》をしながら、食べる時間《じかん》だからなんだよ。

食べている途中《とちゅう》で、歩きまわると、まだ、ごはんを食べている人たちは、「ごはんを食べることに集中《しゅうちゅう》させて」って思うんだよ。だって、みんなが歩きまわったら、転《ころ》ばないかな？　とか、お店《みせ》だったら迷子《まいご》にならないかな？　って、とても心配《しんぱい》するんだよ。そして、自分《じぶん》がごはんを食べるどころじゃなくなって、みんなを守《まも》ろうとしてくれるんだ。迷惑をかけないようにしようね。

また、ごはんを食べているときに歩きまわると、とくにおうちでは、ほこりがたって、おいしいお料理《りょうり》にくっついて、そのほこりまで食べることになるから、静《しず》かに座っておこうね。

POINT

- 食べているときは、姿勢を正して、座ったままでね
- 椅子に座っているときには、足をブラブラさせないようにね
- みんなが食べ終わるまで、座ったままでいようね。でも、どうしてもトイレに行きたくなったときは、行ってもいいよ。
- 畳や床（じゅうたんやマットの上など）に座って食べるときは、ゴロゴロと寝転がったりしないようにね

食事はきちんと座って食べよう

✕

歩きまわると、ホコリもたつし、ゆっくり食べられないよ。

足をブラブラさせていると、姿勢悪くなって、おなかも曲がって痛くなっちゃうよ。

✕

口《くち》にものを入《い》れたまましゃべらない

口《くち》のなかに食《た》べものが入ったままおしゃべりをすると、食べたものが口から出ちゃうよ。そうすると、テーブルや床《ゆか》を汚《よご》してしまうし、一緒《いっしょ》にいる人にとびちったら大変《たいへん》だよね。もし、お店《みせ》にいたら、それを見《み》たほかのテーブルの人も、気分《きぶん》を悪《わる》くするかもしれないし、お店の人がキレイにすることになるから、迷惑《めいわく》もかけちゃうよね。食べたものを捨《す》てることにもなるから、かわいそうだね。お話《はなし》をしたいときは、口のなかに何《なに》も入っていないときにしましょうね。

口に食べものを入れたら、おしゃべりはしないで、ゆっくりかんで、食べることに集中《しゅうちゅう》するんだよ。かまずにあわてて食べると、食べものがのどにひっかかったり、おなかが痛《いた》くなるから、気をつけようね。

POINT

- 口のなかに食べものを入れたら、ゆっくり1・2・3…と、あたまのなかで数えながら、かもうね
- おしゃべりは、口のなかに食べものがないときにしよう
- おなかをよろこばせてあげましょう

口に食べものが入っているときに、
おしゃべりすると…

食べものが口から
飛び出てしまいます

ひじをついて食《た》べてませんか？

食事《しょくじ》をするときは、背筋《せすじ》を伸《の》ばして、姿勢《しせい》を正《ただ》しくして食《た》べようね。それが、目《め》の前《まえ》にあるお料理《りょうり》や飲《の》みものに対《たい》する思《おも》いやりなんだよ。

たとえば、自分《じぶん》と話《はな》をする人《ひと》が、ひじをついていたり、足《あし》をぶらぶらさせていたら、どう思《おも》う？「ちゃんと姿勢《しせい》を良くして話《はなし》をしてよ！」と思うんじゃないのかな？食べものたちも、同じように思っているんだよ。

みんなを元気《げんき》に成長《せいちょう》させてくれる食べものに感謝《かんしゃ》をしていただくのだから、ひじをついたりしないで、きちんと背筋《せすじ》を伸ばして、食べようね。

もし、テーブルの高《たか》さが自分に合《あ》っていなくて、食べにくいときでも、ひじをついて食べることはしないでね。

また、足は、きちんとそろえて座《すわ》って、食べようね。

POINT

- 手をグーにして、テーブルとおなかの間に入れてみて。そこが座る位置だよ
- ワキをしめて、ひじはテーブルの上におかないよ
- 足をブラブラさせたり、広げたりしないでね

姿勢をシャンとしているとステキだよ

ひじをついて食べると、猫背になってカッコわるいし、食べものをこぼしやすくもなります

テーブルとおなかはグー1つ分くらい開けて座ります

保護者の方へ

肘をつきながら食べるのも、日頃からの習慣、クセの一種です。子どもたちは、目で見て、ほかの人がおこなっていることを真似しますから、おうちの方が、肘をつきながらコーヒーを飲んでいたりしないように、気をつけましょう。一方で、子どもたちは、テーブルの高さの問題から、肘をついているほうが、食べやすいという場合もあります。座っているときの状態で、テーブルの高さが適当であるのかも、日々の生活のなかで、確認していただけたらよろしいかと思います。

食《た》べきれないときはどうする？

おなかがいっぱいになって、「もう食《た》べられない」と思《おも》ったら、遠慮《えんりょ》しないで、「ごちそうさまでした」と言《い》っていいんだよ。

このとき、いきなり言うと、一緒《いっしょ》に食べている人がしんぱいするから、「もうおなかがいっぱいになったから、これでごちそうさまにしてもいいですか？」と言ってみましょう。はずかしくて言えない人もいるかもしれないけど、だいじょうぶだよ。勇気《ゆうき》を出して言ってみて。言うタイミングは、一緒に食べている人たちが食べ終わるころがベストだよ。

食べている途中《とちゅう》で気分《きぶん》がわるくなったときにも、遠慮《えんりょ》しないで、「残《のこ》してごめんなさい。気分がわるいので、もう食べられません」と言って、やすませてもらおうね。

POINT

- 食べきれないときは、無理をしないで、残そう
- 残すときには、「おなかがいっぱいになりました」と理由を言ってね
- 具合がわるくなったら、がまんしないで言っていいんだよ
- 量を少なくしてほしいときには、はじめにそれを伝えようね
- 食べ終わったら「ごちそうさまでした」だね

残したものの置き方

食べ残しは、
お皿のひだり奥へ
まとめておきましょう

保護者の方へ

毎日、献立を考えておこなうお料理、本当にお疲れさまです。お子さんの健康を考えて作るごはんですから、「残さずに食べてほしい」「残すのはもったいない」と思うこともあるでしょう。しかし、体調が悪い場合は無理をして食べさせることはありませんね。もどす可能性もありますからね。ただし、食べられない理由や原因は知っておく必要がありますから、どうして食べられないのかを、やさしく訊いてあげていただければと思います。

外出先では、お子さんの食べる量がわかっていれば、「お手数ですが、少なめでお願いします」とか「申し訳ありませんが、ピーマン抜きでお願いします」など、丁寧な言い方で事前にお願いすると、残さずに食べられ、残すことを気にしなくてもよくなります。

和食編

お箸《はし》をきちんと持《も》てますか？

和食《わしょく》は、日本《にほん》の料理《りょうり》だね。日本で和食を食《た》べるときには、お箸《はし》をつかって食べるんだよ。ほかにも、中国《ちゅうごく》や韓《かん》国《こく》でも、お箸《はし》をつかって食事《しょくじ》をするよ。

みんなは、正《ただ》しいお箸《はし》の持《も》ち方《かた》、できているかな？ お箸《はし》をきちんと持てると、ごはんやおかずをとりやすくなって、食べやすくもなるんだよ。

正しくお箸《はし》を持つことは、はじめはむずかしいって思うかもしれないけど、うまくお箸《はし》を持てなくても落《お》ち込《こ》むことはないよ。だれでも最初《さいしょ》はできないし、何回《なんかい》やっても失敗《しっぱい》する人はたくさんいるから。だからみんな練《れん》習《しゅう》するんだよ。

あきらめないで練習したらできるようになるから、チャレンジしよう。おうえんしているからね。

POINT

- はじめは上のお箸だけをえんぴつを持つように持ってみましょう
- 上のお箸を上下に動かす練習をしようね
- 下のお箸は、そっと置くだけでいいんだよ

お箸の持ち方

お箸は、箸頭《はしがしら》から3分の1の位置を持ちます。

上のお箸は親ゆび、人差しゆびと中ゆびの第一関節で軽くはさみます。

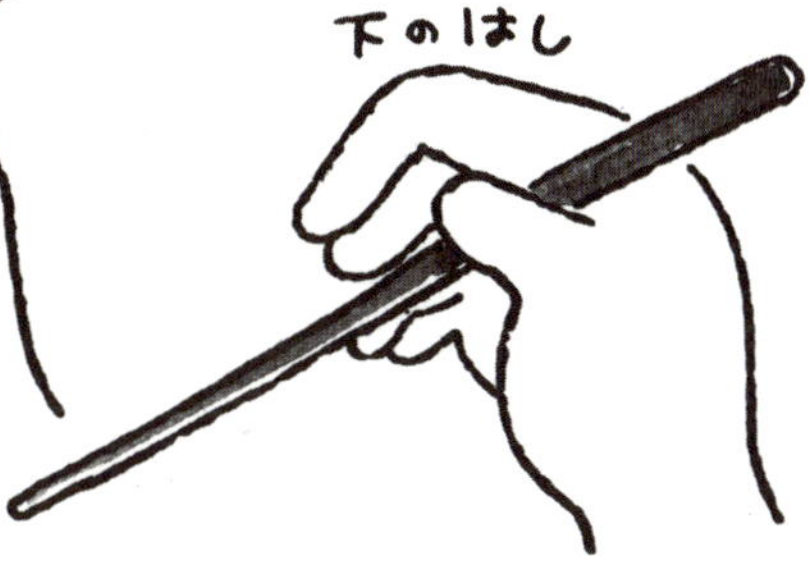

下のお箸は親ゆびのつけ根と薬ゆびの第一関節で支えます。

下のお箸は動かさず、上のお箸だけを動かして食べものをはさみます。

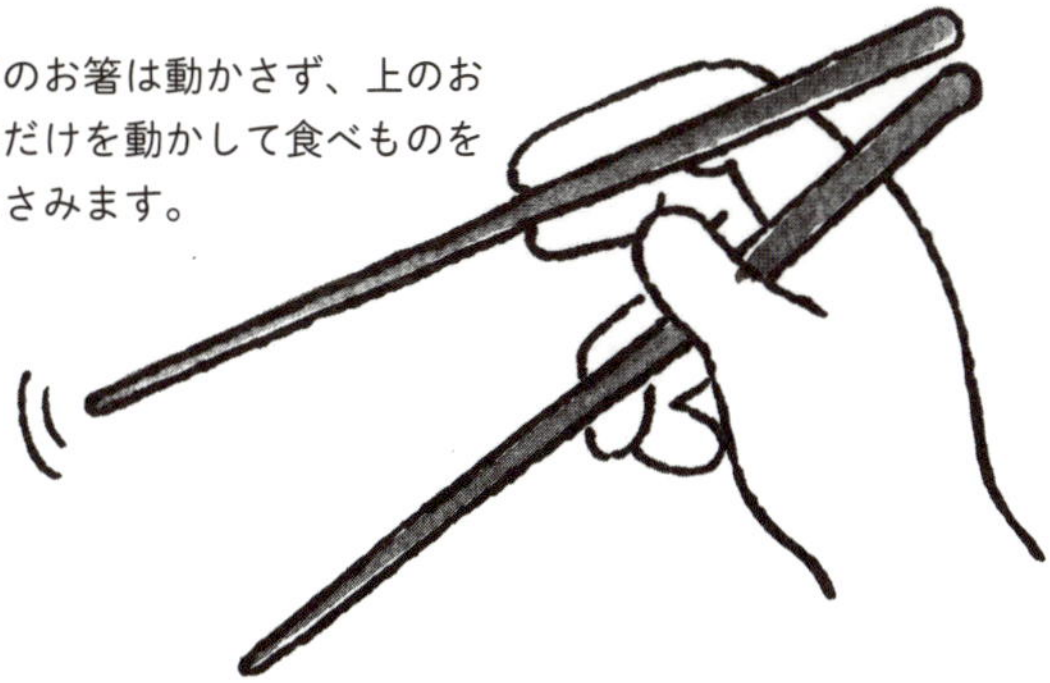

保護者の方へ

お箸の持ち方は、子どもにとって、最初は難しいことです。しかし、誰でもはじめはできませんから、気長に見守ってあげましょう。できないからといってイライラしないようにしてくださいね。お箸の持ち方を教えるのを難しいと感じる親御さんも多いと思いますが、教える側が難しいと思うと、その気持ちはお子さんに伝わりますから、まずはその気持ちをなくしましょう。習得が難しいと感じたときには、お箸の持ち方矯正用の子どものお箸なども販売しているので、利用してみるのも一法です。

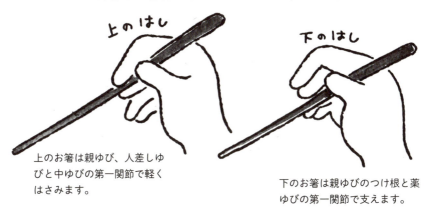

和食編

ごはん茶《ちゃ》わんは左《ひだり》、汁《しる》わんは右《みぎ》、箸《はし》は横《よこ》向《む》き

ごはんとおみそ汁《しる》とお箸《はし》に、それぞれのお部屋《へや》があること、知っていますか？

ごはんのお部屋は、みんなから見《み》て、左側《ひだりがわ》。おみそ汁のお部屋は、右側《みぎがわ》。ごはんとおみそ汁は、おとなり同士《どうし》なんですね。おとなりだけど、右と左を間違《まちが》えないでね。

そして、お箸《はし》は、ごはんとおみそ汁のお部屋の手前《てまえ》にあるんだよ。お箸《はし》のお部屋は、横《よこ》に長細《ながほそ》い形《かたち》をしているから、食べるときにつかう細《ほそ》いほうを、右利《みぎき》きの人は左に向けて（左利《ひだりき》きの人は右に向けて）、横長《よこなが》のお部屋に置《お》いてあげましょうね。

ごはんとおみそ汁、お箸《はし》が迷子《まいご》にならないように、それぞれのお部屋にきちんと置《お》いてあげてね。

POINT

- お箸をつかわないときは、横向きに置いてね
- お箸を置くときは、箸置きをつかうといいよ
- ごはん茶わんとお汁の茶わんは、いつもおとなり同士にね

＊お箸の箸先は、箸置きに置きます。
＊口の中に入れたお箸の先で、テーブルを汚しません。
＊お箸の先がテーブルの上に直接つかないから衛生上も良いですね。

保護者の方へ

日本食である和食は、ユネスコ無形文化遺産にも登録されています。この素晴らしい和食は、お箸で食べますが、右利きと左利きの人とでは、その扱い方が逆になります。

洋食は、ナイフとフォークをつかって食べますが、ナイフは右、フォークは左に置くことが決まっているので、海外では、左利きの子どもでも、食事のときはそれに則って食べられるように、子どものときに食事で使用するカトラリーの持ち方だけは、矯正をする人が多くいらっしゃいます。お箸も同様に、もし可能であれば、左利きであっても、お箸は右にもって食べることができるように、小さいときに慣れさせてあげるのも、よろしいかもしれません。とはいえ、諸事情あると思いますので、もちろん，無理におこなうことはありません。

和食編

お箸《はし》でやってはいけないこと

こんなお箸のつかい方はやめようね

お箸は、やってはいけないつかい方がたくさんあります。
それを「嫌い箸」というので、覚えておきましょう。
ここでは、子どもがよく間違っているお箸のつかい方をいくつか紹介します。

さし箸

お箸の先をお友達の顔に向けると、ケガをするかもしれないから大変危険です

刺し箸

箸を料理に突き刺すこと

寄せ箸

うつわを持たずに箸で茶わんやうつわを引き寄せたり、動かしたりすること

ねぶり箸

箸をなめたり、箸についたご飯粒をねぶって取ろうとすること

迷い箸

どの料理を食べようか迷って、料理の上で箸をうろうろと動かすこと

渡し箸

ごはんを食べている途中、箸を茶わんやうつわの上にのせておくこと

混ぜ箸

お箸を使って料理の中をぐるぐると探ること

くわえ箸

お箸を口にくわえたまま、うつわなどを手に持つこと

込み箸

料理をお箸で口の中に押し込むこと

たたき箸

お箸で茶わんやうつわなどをたたくこと

和食編

お茶《ちゃ》わんやおわんの持《も》ち方《かた》

和《わ》食《しょく》を食《た》べるときには、両手《りょうて》をつかって食べるんだよ。だから、ごはんを食べるときには、右利《みぎき》きの人は、左手《ひだりて》にごはん茶わん、右手《みぎて》にお箸《はし》を持《も》って食べるんだ。このとき、お茶わんを片手《かたて》で持ちあげないように気をつけようね。お茶わんは、ていねいに、大切《たいせつ》に両手で持ちあげるんだよ。

お茶わんの持ち方は、まず、両手《りょうて》で持ちあげてみて。つぎに、右利きの人は左手だけでお茶わんを持ってみてね。左利きの人は、右手だけで持つよ。つづいて、お箸《はし》を上から利《き》き手で持ちあげて、お箸《はし》の先をお茶わんを持っていない手の中《なか》ゆびと薬《くすり》ゆびの間《あいだ》にはさんで、お箸《はし》を下から持ち直して食べるのが、正しいマナーだよ。

すこしむずかしいけど、これも練習《れんしゅう》すればできるからやってみようね。片手《かたて》で持ったお汁《しる》をこぼしてやけどしないように気をつけてね。

POINT

- お茶わんやおわんは、大切に両手で持ち上げてね
- 両手で持ちあげるときは、熱くないか確認をしてから持ってね
- 汁をこぼすと熱くて危ないから、こぼさないように気をつけようね

左にごはん茶わん、右におわんをおきましょう。
お茶わんもおわんも左手(利き手ではないほう)
に持って食べます。

お茶わん、おわん…左手（利き手ではないほう）の親ゆび以外の４本のゆびの上に、お茶わんをのせ、しっかりと支えましょう。

保護者の方へ

最近、お茶碗を握るように持ったり、人差し指をお茶碗のふちにかけている子どもをよく見かけます。正しい持ち方を教えることは、お茶碗を落とすなどの危険防止にもつながります。また、大きく重たいと子どもは持ちにくく危険ですので、手の大きさに合ったお茶碗とお椀を選んであげてくださいね。また、落としたときに割れない材質のものにしたり、汁はこぼさないように少量にして、おかわりで量は調整してあげると良いでしょう。

和食編

うつわには持《も》ちあげていいもの、持《も》ちあげないものがあります

お茶《ちゃ》わんを持《も》って食《た》べる、と58ページで書《か》いたけど、重《おも》たいお皿《さら》や、大《おお》きなお皿は、持ちあげなくてもいいんだよ。ムリをしてお皿を落《お》としてしまうと危《あぶ》ないからね。

お皿を落《お》とすと、割れてケガをするかもしれないし、お料理《りょうり》がお皿から落ちたら、食べられなくなっちゃうからね。そうならないように、持ってもいいお皿、持たなくていいお皿があることを覚えておこうね。

持てないお皿のお料理を食べるときには、まず小さなお皿にとりわけ、こぼさないようにその小さなお皿を持って食べるんだよ。そうすると、万《まん》が一、こぼしたときには、その小さなお皿が助《たす》けてくれるよね。

また、小さいお皿がないとき、お箸を持っていない手を小皿代わりに食べものの下に添えるのは、「手皿《てざら》」といって、やってはいけない作法《さほう》だから、しないようにしようね。

POINT

- 重たいお皿や大きなお皿は、持たなくていいよ
- 小さくて軽く持てるお皿に助けてもらおう
- 小さなお皿は、こぼれないように助けてくれるんだよ

保護者の方へ

和食は、基本的に両手を使って食べるものですが、小さなお子さんには、それが難しいこともあるでしょう。しかし、必ず、小皿をそえて食べるクセをつけておくと、大人になったときに困りません。おうちで食べるときは、リラックスして食べてほしいと思いますが、ひととおりのマナーが身につくまでは、親御さんも一緒に、面倒でも小皿を添えて食べるようにしてみてください。そうすると、子どもは視覚からそれを学び、真似をするので、身につきます。また、手皿は、多くの大人たちもやっていますから、気をつけましょう。

和食編

骨付《ほねつ》きのお魚《さかな》を上手《じょうず》に食《た》べる

お魚《さかな》にも、顔《かお》があって、骨《ほね》があることは、みんな知《し》っているよね。お魚を食《た》べるときには、その顔や骨をとって調理《ちょうり》されたものを食べるときもあるけど、顔や骨がついたままの形《かたち》で出《で》てくるときもあるね。

こういうときは、お魚に失礼《しつれい》のないように、食べる順《じゅん》序《じょ》があるんだよ。その順序を守《まも》って食べると、お魚もよろこんでくれて、みんなも食べやすくなるよ。食べ方の順序は、63ページに書いてあるから、チャレンジしてみよう。この順序を守って、みんなのからだを丈夫《じょうぶ》に健康《けんこう》にしてくれるお魚にも感謝《かんしゃ》をして、おいしく、ありがたくいただこうね。

また、お魚の顔がついているときなどは、懐紙《かいし》という紙《かみ》をもって、お魚の顔を押《お》さえて骨をとったりするんだよ。手で直接《ちょくせつ》お魚にさわるとよごれてしまうから、気をつけてね。懐紙《かいし》がないときは、紙《かみ》ナプキンでもいいよ。

POINT

- お魚の体をお箸でさしたりしないでね
- 食べ方の順番を守って、感謝していただこう
- お魚をひっくり返さないで、骨をとってから食べようね

魚の頭から尻尾までついた状態を「尾頭付きの魚」といいます。

1 尾ひれ以外のひれをお箸でとります。あたまを押さえるととりやすいです。
懐紙（かいし）という紙をもって、手がよごれないようにするといいです。
紙ナプキンを使用してもいいですね。

2 上の身の真ん中に中骨があります。
この中骨の上をかるくお箸で押さえながら切れ目を入れます。

3 中骨より上の部分を左から右に向かって上の身を食べます。
食べ終えたら、中骨より下の部分を左から右へ食べていきます。

4 上の身を全部食べたら、頭を持ち上げ、お箸で中骨を頭から尾ひれに向かってはずします。尾ひれをお箸で持ち、そのまま、両手で頭と中骨と尾ひれをお皿の奥に置きます。

5 懐紙は、頭の上に置きます。

6 下の身を左から右に向かって食べます。
下身を食べるとき、魚はひっくり返しません。

※手で押さえると、手が汚れるので、手をふくナプキンを用意しておきましょう。
手は、おしぼりではふきません。ナプキンでふきます。

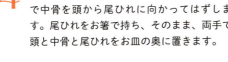

洋食編

ナイフやフォーク、スプーンのつかい方《かた》

洋食《ようしょく》を食《た》べるときには、ナイフ、フォーク、スプーンをつかって食べるんだよ。和食《わしょく》を食べるときに、お箸《はし》の持《も》ち方《かた》を練習《れんしゅう》したように、ナイフやフォーク、スプーンにも、それぞれに持ち方があるんだよ。

ナイフやフォークをきちんと持っていないと、上手《じょうず》にお肉《にく》を切《き》ったり、フォークで食べたりできないから、しっかりと正《ただ》しい持ち方を練習して身《み》につけようね。

また、みんなのカラダに名前《なまえ》があるように、ナイフやフォークのカラダにもそれぞれに名前があるって知ってた？ 65ページに書いてあるから覚《おぼ》えてね。

ナイフやフォークを持つときは、人差《ひとさ》しゆびで押《お》さえて持ってね。でも、お魚を食べるときだけは押さえなくてもいいんだよ。スパゲティを食べるときなど、ナイフを持たないときは、フォークだけで食べてもいいよ。

POINT

- 口に入れやすいように、小さく切って食べようね
- 切るときは、左から切っていくんだよ
- ナプキンは、太ももからひざにかけておこうね

ナイフとフォークをつかって食べるとき…

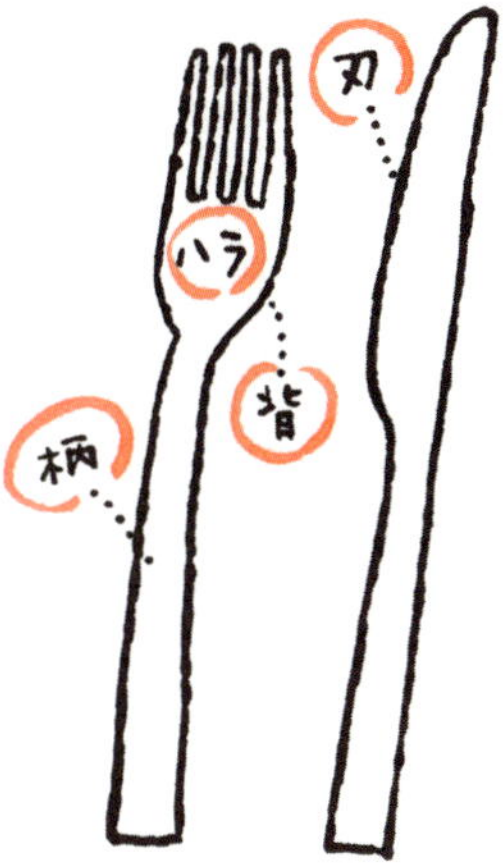

おうちで、ハンバーグなど、
やわらかい料理で切る練習をすると
上手にできるようになるよ♪

＊ナイフは右手に。フォークは左に持ちます。
＊お肉などの料理は、左から切って食べます。
＊ワキをひらいて食べないように。ワキはしめてね。

基本のナイフの持ち方

人差しゆびを上から押さえる

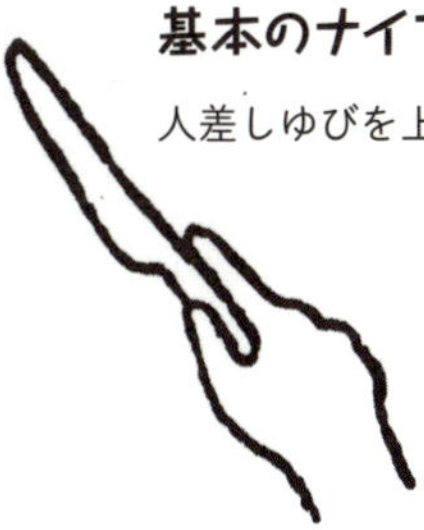

魚用ナイフの持ち方

人差しゆびを上から
押さえない

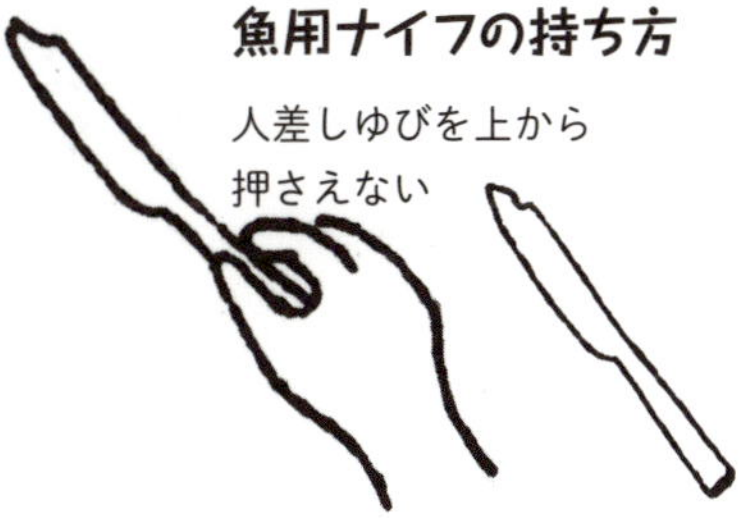

フォークの持ち方

ハラで食べるとき

背で食べるとき

スプーン

上から握らないように気をつけましょう

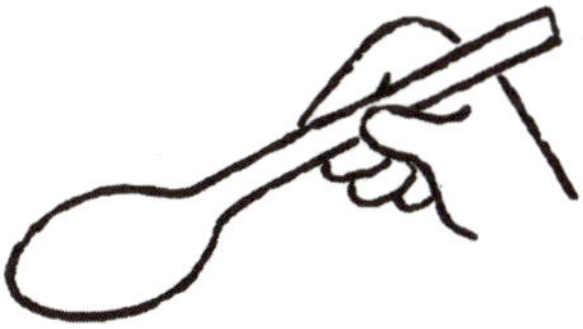

洋食編

ナイフやフォークでやってはいけないこと

ナイフやフォークには、それぞれにお仕事《しごと》がある。ナイフは、お肉やお魚などの食べものを切《き》るのが仕事。フォークは、ナイフが切りやすいように食べものを押《お》さえてあげたり、ナイフが切ってくれた食べものを刺《さ》したり、背《せ》やハラにのせて、みんなの口《くち》に運《はこ》ぶのがお仕事なんだ。だから、それ以外《いがい》のことをしちゃダメなんだよ。

たとえば、ナイフを人に向《む》けたり、ナイフでお料理《りょうり》を刺したりはしないでね。また、口に運ぶのは、フォークとスプーンのお仕事だから、ナイフを口には絶対《ぜったい》に持っていかないでね。ナイフで口や舌《した》を切ったら、血《ち》がでて、とても痛《いた》いよ。そんなことになったら、せっかくのおいしい料理を食べられなくなるし、一緒《いっしょ》に食べている人にも迷惑《めいわく》をかけるよね。危《あぶ》ないことはしないようにね。

ナイフとフォークは食べている途中《とちゅう》と、食べ終《お》わったときでは置き方がちがうよ。となりのページの絵を見《み》てね。

POINT

- ナイフやフォークを相手に向けながら話しちゃダメだよ
- ナイフは切るものだから、食べものをささないようにね
- ナイフやフォークについたソースなどはなめないでね

人に向けたり、ペロペロなめたり、ナイフに刺したりしないでね

ナイフを相手に向けないでね。
みーこちゃんがこわがっていますよ。

ナイフに食べものを刺して
食べちゃダメだよ。

ナイフを口に入れちゃダメだよ。

ナイフとフォークは食べている途中と、食べ終わったときでは置き方がちがうよ

食べている途中でおやすみするときの合図

イギリス式
…ナイフの上にフォークをクロスさせます

フランス式
…ハの字にします

食べ終わったときの合図

イギリス式
…時計６時の位置

フランス式
…時計４時の位置

絶対にやってはいけないこと！

ナイフの刃を相手に
向けて置かないようにね。

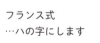

洋食編

スープの食《た》べ方《かた》には、イギリス式《しき》とフランス式《しき》があります

ことばに、日本語《にほんご》や英語《えいご》、フランス語《ご》があるように、食《た》べ方《かた》にもイギリス式《しき》やフランス式があるんだよ。なかでもスープの食べ方には2通《とお》りあって、イギリス式とフランス式があるって知《し》ってた？

スープは、スプーンをつかって食べるんだよ。スプーンで手前《てまえ》から奥《おく》に向《む》かってすくうのがイギリス式で、奥《おく》から手前にすくうのが、フランス式っていうんだ。手前から奥《おく》へいくのか、奥から前にくるのか、どちらかの方法で食べようね。右《みぎ》から左《ひだり》に横《よこ》にすくうのは、ダメだからしないようにしようね。

スープが少なくなったらお皿の左手前《ひだりてまえ》をそっと持ちあげ、奥へスープを寄せて食べます。

熱いスープで、口のなかをやけどをしないように、熱さを確認してから食べようね。

POINT

- スープは「飲む」ではなく、「食べる」っていうんだよ
- スープのお皿は持ちあげちゃダメだよ
- 取っ手がついているカップスープのときは、持ちあげてもいいよ

スープ皿の正面に座りましょう。スープ皿は持ちあげません。

イギリス式とフランス式があります

●イギリス式
右手にスプーンを持ち、手前から奥に動かします。左手はテーブルの下、ひざの上に。

●フランス式
右手にスプーンを持ち、奥から手前に動かします。左手はテーブルの上に出します。

2種類のスプーンのつかい方

●まるいスプーン
スプーンの横に口をあてて食べましょう。

●先のとがったスプーン
細くなっているところからスープを流し入れましょう。

保護者の方へ

スプーンですくっても、ぽたぽたとそれをこぼしてしまうと、上手に食べられませんから、スプーンには、スープを少なめに入れることを教えてあげてください。そして、ズルズルと音をたてないように、吸い込まないことも、注意しましょう。上手に食べるには、スプーンの形に応じて、流し込むか、スプーンを口の中に入れて食べるように指導してあげましょう。

洋食編

和食《わしょく》ではない料理《りょうり》のお皿《さら》は持《も》ちあげない

和食《わしょく》を食《た》べるときは、お皿《さら》を持《も》ちあげるのがマナーだったよね。でもね、ステーキやスパゲティなどの洋《よう》食《しょく》や、中国《ちゅうごく》料理や、焼《や》き肉《にく》などの韓国《かんこく》料理などを食べるときには、お皿を持ちあげちゃダメなんだ。それぞれの国《くに》によって、食べ方のカタチが違《ちが》うんだね。

こういうことを、食べるときの文化《ぶんか》、食文化《しょくぶんか》っていうんだよ。世界《せかい》じゅうには、いろんな国《くに》の人たちがいて、いろんな考《かんが》え方《かた》や文化があるからね。それぞれの国の文化をたいせつに尊重《そんちょう》してあげるやさしい気持《きも》ちをもって、いろんな国の食べ方を覚えておこうね。

お皿を持って食べないときは、食べものをこぼさないように、顔をお皿にちかづけたくなるけど、それはやめようね。背中《せなか》が丸まって姿勢《しせい》が悪《わる》く、おなかもいたくなっちゃうからね。

POINT

- 和食いがいのお皿は持ちあげなくていいよ
- こぼさないように、腰から上をまっすぐにしたまま、上半身をテーブルの上に傾けよう
- いろんな国の食べ方を覚えてチャレンジしてみよう

きほんは…

和食いがいのお皿は持ちあげません。

れいがいがあるよ

＊取手がついているカップで出てきたスープは持ちあげてもいいです。

＊スプーンがあれば、持ちあげないで食べます。

＊スプーンがあっても、最後のこり少なくなったときには、食べにくいので、持ちあげて食べてもよいです。

保護者の方へ

「郷に入れば郷に従う」という柔軟な気持ちを育むためにも、さまざまな国の食べ方を知っておくことは大切なことです。和食以外の料理では、基本的にお皿は持ち上げません。このとき、こぼさないようにと、自分の口をお皿に近づけてしまう子がいます。これは、「犬食いの姿勢」と言われ、いじめの対象になりかねませんから、そうならないように、日頃から注意して指導してあげてください。あたまの上から腰までをまっすぐに姿勢を正し、腰から前傾させて食べものを床にこぼさない体勢を作ってあげましょう。

　姿勢が悪くならないように、テーブルと椅子の高さを調整してあげてくださいね。

洋食編

パン…
相手《あいて》が不快《ふかい》に思《おも》うようなことはしない

パンを口《くち》のなかに入《い》れて、ガブリと歯《は》でかみちぎったら、パンには歯型《はがた》がついて、とても痛《いた》いと感じてしまうと思わない？　だから、パンを食べるときには、パンに歯型をつけないように、手《て》でやさしくちぎってあげるといいよね。

手でちぎるときには、口のなかがパンでいっぱいにならないように、小《ちい》さくちぎってあげようよ。そうすると、かみやすいし、すぐに食べられるから、一緒《いっしょ》に食べている人たちと、すぐにお話《はなし》もできるよね。

だけど、サンドイッチやハンバーガーなどの調理《ちょうり》パンは、手でちぎると、具《ぐ》が出てきてしまうから、そのまま口のなかで、かみ切《き》ってもいいよ。このとき、口のなかがいっぱいにならないように気《き》をつけてね。

POINT

- 手でちぎったパンの切り口は相手に見えないように自分に向けておこうね
- サンドイッチなどの調理パンは、かぶりついてもいいよ
- レストランでパンくずを落としたら、お店の人がキレイにしてくれるから、何もしなくていいんだよ

お皿の上のパンを
手に持ち大きな口でかぶりつくと…

かぶりついたときに
パンくずが落ちてしまいます。

＊パンは小さくちぎって食べます。
＊ちぎったあとのパンの切り口は
　自分側に向けておきましょう。

保護者の方へ

決められた時間内に食事をしなければいけない状況にあると、あわてて食べものを一気に口の中に入れようとする傾向があります。一度にたくさんの食べものを口の中に入れると、よく噛まずに飲み込んでしまい、カラダに負担をかけてしまいます。また、口の中の食べものが残っているのに、おしゃべりをはじめて、口から食べものをこぼす要因にもなりますね。食べものは、ひと口で無理なく食べられる大きさにして食べるのがマナーです。日頃、親御さんから、良い見本を示してあげてくださいね。

洋食編

ワンプレートのものの食《た》べ方《かた》は？

ケーキにはケーキの味《あじ》が、アイスクリームにはアイスクリームの味があるよね。食事《しょくじ》をするときのマナーで大事《だいじ》なことのひとつに、そのお料理《りょうり》をつくってくれた人《ひと》の気持《きも》ちを考《かんが》えて食べるってことがあるんだよ。

もし、お皿《さら》の上《うえ》に、いくつかの食べものがのっていたら、それはそれぞれを混《ま》ぜないで、ひとつひとつの味を楽《たの》しんで食べてね、っていうことなんだ。

食べる順番《じゅんばん》は、お皿の左手前《ひだりてまえ》から、時計《とけい》まわりに食べていくのが基本《きほん》っていわれているけど、アイスクリームなど、溶《と》けてしまうものがあったら、それを先《さき》に食べてもいいからね。

食べ終わったときに、お皿がキレイだと気持ちいいし、お皿もよろこぶよね。また、お皿を片《かた》づける人も洗《あら》う人も、ぐちゃぐちゃなお皿でないほうがいいよね。みんなのことを考《かんが》えて、キレイに食べようね。

POINT

- まぜないで、ひとつひとつの食べものの味を楽しもう
- 手を汚さないように、出されているカトラリーをつかって食べようね
- 冷たいものを食べたら、そこに付いているウエハースなどを食べて、口のなかをあたためよう

デザートの盛り合わせが
ワンプレートで出されたとき

＊ひとつひとつの食べもの
を、きれいに食べます。
＊デザートは混ぜません。

まぜながら食べると…

お皿のうえに、おばけがでてきちゃうよ〜

保護者の方へ

ワンプレートはいくつかの食べものがあって､見た目も楽しく子どもも喜びます。そして、それらを混ぜて、自分で料理を作るかのように、遊びながら食べたくなるお子さんが多いです。しかし、その姿をみて不快に思う人もいます。特に、レストランなどの人前では、そうするお子さんを親御さんが注意してあげましょう。また、デザートを食べるころには、お子さんはじっと座っていることに飽きてきて、手で食べたりすることも多いので、そうならないように、上手くコミュニケーションをとりながら、ご機嫌ななめにならないようにすることも大人側の大事なマナーとなります。

中国料理店《ちゅうごくりょうりてん》での注意点《ちゅういてん》

テーブルの上《うえ》で、クルクルと回る回転台《かいてんだい》があると楽《たの》しくなっちゃうね。でも、楽しいからといって、さわいだりしちゃダメなんだよ。はしゃいでしまうと、飲《の》みものをこぼしたりしちゃうからね。気《き》をつけようね。

回転台の上に、食べたいお料理《りょうり》が並《なら》んでいるときには、時計回《とけいまわ》り（右《みぎ》まわり）に回《まわ》すっていうルールがあるから守《まも》ろうね。

回すときは、ほかの人《ひと》がお料理をとっていないときに、ゆっくりと回してね。「回してもいいですか？」「回します」と言《い》ってから回すと親切《しんせつ》だし、回転台も、「よし！今《いま》から回るぞ！」と心の準備《じゅんび》ができて安心するよ。

食《た》べ終《お》わったお皿やグラスを回転台にのせると、回したときに倒《たお》れて飲み物がこぼれて、テーブルや洋服《ようふく》を汚《よご》してしまうかもしれません。置《お》かないようにしましょうね。

POINT

- 回転台は、時計（右）回りに回すのがルールだよ
- 回転台は、ほかの人が料理をとっていないときに、ゆっくりと回そう
- 小皿は、料理別にたくさんつかっていいんだよ
- 先にとるときは、お隣の人に「お先に失礼します」と言ってみよう
- 料理は、一番えらい人から小さなお皿にとっていくんだよ

回転台に食べ終わったお皿やグラスは置きません。回したときにグラスが倒れてしまいます。

器やお皿はテーブルの上に置いたまま食べましょう。

レンゲの使い方

スープのときは右手（利き手）で。
めん類のときは持ちかえて小皿代わりに。

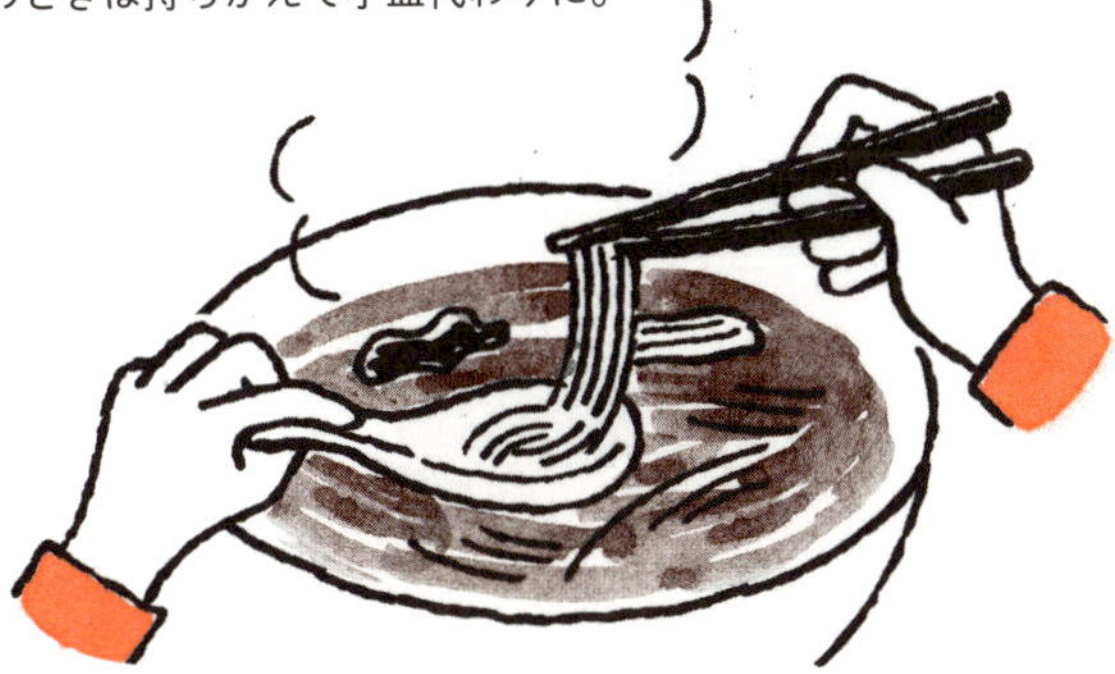

保護者の方へ

中国料理・中華料理はいくつもの大皿がのった円卓を囲み、みんなと交流を深めながら楽しく食べられる料理です。コミュニケーションをとりやすく、子どもも和気あいあいと楽しむことができます。回転台のお料理を目上の人から順番にとることで、目上の人に対して敬う気持ちを育むと同時に順番を守る大切さも学べます。また、全員がお料理をとり終わるまで“待つ”という、がまんや忍耐も養えますね。

ファストフードやセルフサービスのお店《みせ》では…

自分《じぶん》がならんでいるときに、途中《とちゅう》から割《わ》りこむ人《ひと》がいたら、どう思《おも》う?

ちょっとイヤな気分になるよね。お店《みせ》で人がならんでいたら、最後《さいご》の人の後《うし》ろに立《た》とうね。お店だけじゃなくて、遊園地《ゆうえんち》や動物園《どうぶつえん》、電車《でんしゃ》やバスに乗《の》るときも、人がならんでいたら、いちばん後ろにならぶのがマナーだよ。

もしも、ならんでいることに気《き》がつかなくて、間違《まちが》って割りこんでしまったら、「失礼《しつれい》しました」とか「ごめんなさい」とおわびを言おうね。間違ったことをしたときに、ちゃんとあやまることが大事《だいじ》なことなんだよ。

また、自分の後ろに、泣《な》いている赤《あか》ちゃんや、小《ちい》さな子どもがいたら「お先にどうぞ」ってゆずってあげるととても親切《しんせつ》だよね。自分のことよりも、相手《あいて》を思《おも》いやって、やさしくしたら、きっと、みんなもやさしくしてもらえるよ。

POINT

- お店に入った人から順番にならぶんだよ
- ならんでいるときには、大きな声を出さずに静かにね
- 他の人の迷惑にならないように、真っすぐならぶんだよ

割りこむ人がいたら…

＊注意する人や注意される人が
　出てしまいます。
＊どなって暴れる人も出てきます。
＊「わたしも！」と、どんどん
　割りこむ人が出てきます。
＊割りこまれた人は、イヤな
　気持ちになります。

保護者の方へ

　ならばずに割り込もうとしたり、ならんでいるときに、ダダをこねたり、大声で泣きわめいて他の人に迷惑をかけないためには、日頃から「○○ちゃんは、きちんとならんでえらいね」など、ならぶことを褒めてあげましょう。また、ならんで入るときに、前の人を悪気なくけったり、叩いたりすることのないよう、注意して見てあげてください。

お店での食事のマナー

ドリンクバー、サラダバーでは量《りょう》に気《き》をつけよう

ドリンクバーやサラダバーには、たくさんの飲《の》みものやお野菜《やさい》などがあって、楽《たの》しいね。

自分《じぶん》で好《す》きなものを好きなだけ、グラスやお皿《さら》に入《い》れることだってできるもんね。

でも、グラスいっぱいに飲みものを入れると、お席《せき》に持っていくときにこぼしてしまうかもしれないから、いっぱい入れないほうがいいよ。飲みものはグラスの7分目《ぶんめ》くらいまで入れよう。多《おお》くても8分目までで、とめておこうね。

サラダなども、お皿いっぱいに入れすぎないで、のこさずに食べられる分だけ入れようね。

コップという言葉は、海外にはなく日本だけで使われている言葉です。海外では通用しません。正式には、グラスといいます。

POINT

- ドリンクバーではグラスに一種類のジュースを入れるんだよ
- サラダバーでは自分が食べられる量だけお皿に盛っていこう
- 順番を守ろうね
- やり方がわからないときは、お店の人にきいてみよう
- こぼさないように気をつけようね

ドリンクバーでしてはいけないこと…

＊ひとりで、一度にたくさんの飲みものを占領しないでね。うしろで待っている人がいます。
＊ボタンを何度も押して、飲みものがあふれ出ないようにしてね。

熱い飲みものでやけどをしないように気をつけよう

サラダバーでしてはいけないこと…

＊たとえば、トマトをとろうとして、レタスが入っている容器に落としたりしないでね。
＊自分のお皿にたくさん取り過ぎないでね。席にもどるときに、こぼれてしまいます。
＊つかったドレッシングのスプーンを、ほかのドレッシングの容器に入れないように。

保護者の方へ

ドリンクバーやサラダバーなどには、一緒についていきましょう。お子さんに先に動いてもらい、親御さんはその後に位置して、サポートしてあげてください。まずは自分でやってみることが大事です。ただし、うしろで人がまっているときに、お子さんが操作に手間取ったりしないよう、手早くサポートして、うしろの人の迷惑にならない配慮をしてくださいね。

お店での食事のマナー

ビュッフェでやりがちなこと

席《せき》から立《た》って、大《おお》きなお皿《さら》に盛《も》られているお料理《りょうり》を、自分《じぶん》でとって食《た》べるスタイルがあるって知ってた？

これを、「ビュッフェ」とか「バイキング」っていうんだよ。みんな一列《いちれつ》にならんでお料理をとっていくから、後《うし》ろの人《ひと》の迷惑《めいわく》にならないようにしなくちゃいけないね。

ひとつのお皿には、多《おお》くても3種類《しゅるい》のお料理をのせよう。よくばってのせると、席《せき》につくまでに、こぼしたり、食べきれなくて残《のこ》したりするから、気をつけてね。つめたいお料理《りょうり》とあたたかいお料理を同じお皿にはのせないのもマナーだから、覚えておこうね。

また、横にすすんでいるときに、「さっきのスパゲティをもうちょっと取りたい」と思っても、もどろうとしたらいけないよ。うしろの人たちに迷惑《めいわく》をかけちゃうからね。もう少し取りたいときは、食べてからおかわりをしにいこうね。

POINT

- ならんでいる前の人を追いこすのはマナー違反だよ
- ひとつのお皿にのせるのは、3種類までね
- お皿やグラスは胸の高さで持って、落とさないようにね
- おうちの人とならんでいるとき、ほかの人の迷惑にならないようにしずかについていこうね

「ビュッフェ」スタイルとは、
お料理をカウンターに並べて自由にとって
いただく食事形式のことをいいます。

原則は右から左へと移動していくので、前の人について、順番にお料理をお皿に盛り付けます。

＊両手をつかってとる料理のときは、テーブルの上にお皿を置きましょう。

＊お料理を取り分けるための大きいスプーンは右手に、フォークは左手に持ちます。

＊大きなスプーンとフォークのことをサーバーといいます。

＊ひと皿にとるのは、２～３種類にしましょう。

保護者の方へ

お料理をとるときに、残さず食べることを伝えましょう。ビュッフェでは、子どもはつい加減がわからないので「全部食べる！」と言って、たくさんの量を取ろうとしがちです。本当に食べられる量なのか、親御さんがバランスを見ながら、無理そうだと思う場合は「一回食べてみて、まだ食べられそうだったらまた取りに来ようね」と、上手に誘導してあげるといいでしょう。

お店での食事のマナー

お店《みせ》で走《はし》りまわらないでね

ごはんを食《た》べるお店《みせ》は、運動場《うんどうじょう》じゃないってことは、みんな知《し》っているよね。レストランなど、食事《しょくじ》をするためのお店にいるときには、お席《せき》にすわって、ごはんを食べようね。

だけど、もう食べ終《お》わって、はやくおうちに帰《かえ》りたいのに、なかなか帰れないときには…、つい、動《うご》きたくなっちゃうね。だけど、まだお食事をしている人《ひと》がお店にはいるでしょ。みんなはやさしい子《こ》だから、そういう人たちのことを考えてあげることができるよね。

どうしても動きたくなったら、一緒《いっしょ》に食べているおうちの人とトイレに行《い》ってみよう。そして、トイレのなかで、背伸《せの》びなどをして少しカラダを動かして、お席にもどると誰《だれ》にも迷惑《めいわく》をかけずに、気分転換《きぶんてんかん》ができるからいいね。

POINT

- お店にはいろんな人がいるよ。
ほかの人に迷惑をかけないようにしようね
- 走りまわって転んだらケガをしちゃうよ
- 走りまわっているときに、お料理を運んでいる人とぶつかったら、熱いお料理が顔やカラダにかかって大ケガをしちゃうよ
- お店では、しずかに座って食事をしようね

お店で走りまわると…

人にぶつかり、
あなたも相手も
けがをしてしまいます

ほかのお客さんやお店の人に迷惑をかけちゃうよ。
一緒に来ているおうちの人も困って悲しむよ。

保護者の方へ

お店で走り回ることは大変危険です。実際に、お子さんが店内を走り回り、料理を運んでいるお店の人とぶつかり、熱いおうどんがお子さんにかかり救急車を呼ぶ騒ぎを目の当たりにしたことがあります。「そんなこと起きないでしょ」と思うことも現実にあり得るのです。お店や他人に迷惑をかけないようにすることはもとより、お子さんを守るためにも、お店では走り回らないようにさせましょうね。

テーブルの上《うえ》の調《ちょう》味《み》料《りょう》であそばない

テーブルの上《うえ》に、しょうゆやさとう、しお、紙《かみ》ナプキン、つまようじなどが置《お》いてあると、さわりたくなっちゃうね。でも、これらは、ほかのお客《きゃく》さんもつかうものなんだよ。遊《あそ》び道具《どうぐ》じゃないんだよね。

みんながつかいたいときになくなっていないように、お店の人が、いつも気《き》にかけて満杯《まんぱい》にしてくれているって知ってた？　ありがたいね。

勝手《かって》に遊んでいると、しょうゆやさとうをこぼしたり、紙ナプキンを落《お》としたりすることもあるんだよ。そうすると、お店の人は、また一から満杯にするお仕事《しごと》をすることになっちゃうんだ。お店の人に迷惑《めいわく》をかけないようにしようよ。しょうゆや紙ナプキンもたいせつにしようね。

POINT

- 使わないものにはさわらないようにしようね
- テーブルの上にあるもので遊ばないよ
- ふたを開けたらしめようね

調味料で遊んだら…

＊ばい菌やおばけが
　出てきちゃうよ
＊テーブルをよごして
　しまうよ

保護者の方へ

テーブルの上にある調味料などに興味をもつことは良いことです。ただ、それらで遊んではいけないことと、その理由をきちんと伝えてあげましょう。ちなみに、調味料は、まずは何もかけずに味見をしたうえで使うのがマナーです。味見をせずに、お魚におしょうゆをかけたり、コーヒーにお砂糖を入れたりするのはマナーの欠如となるので、気をつけましょう。

お店での食事のマナー

布《ぬの》おしぼりは手《て》をふくもの。テーブルはふきません。

お食事《しょくじ》をする前《まえ》には、キレイに手《て》をあらうよね。でも、それができないときもあるから、お店《みせ》などでは、おしぼりを出《だ》してくれるね。おしぼりを持《も》ってきてくれたら、お店の人《ひと》に「ありがとう」ってお礼《れい》を言《い》おうね。

おしぼりには、２つの種類《しゅるい》のものがあるんだよ。タオルのような生地《きじ》でできている「布《ぬの》おしぼり」や、つかい捨《す》て用《よう》の「紙《かみ》おしぼり」。

おしぼりは、もともと、手をふくものだから、それでテーブルの上《うえ》をふいたり、顔の汗《あせ》をふいたりはしないでね。

もし、テーブルの上《うえ》をよごしたときには、テーブルをふく専用《せんよう》の台拭《だいふ》きをつかおうね。お店では、お店の人にふいてもらうのが正式《せいしき》なマナーだよ。

POINT

- おしぼりは半分開いて、手をふくものなんだ
- おしぼりを出してもらったら、お礼を言ってすぐにつかおう
- つかい終わったら、おしぼり台に置くか、自分の右側に置いておこう

お皿のおしょうゆをこぼしてしまった！
さあ、どうする？

＊おしぼりではふきません
＊台拭きでふきましょう
＊お店では、お店の人にふいてもらいます

＊食事の前のおしぼりは、手をふくもの
＊おしぼりで顔はふきません

保護者の方へ

おしぼりは手をふくものですから、テーブルや顔をふくものではない、ということを教えてあげましょう。テーブルを汚してしまった場合は、お店の人を呼んで、ふいてもらうのが正式なマナーです。特に布おしぼりは、消毒して再利用しますから、たとえば、おしょうゆをつけてしまい、しみになると、次に使うことができなくなるかもしれませんから…。

いつか素敵なレストランで…

洋食で、カトラリーは外から順番に使います。

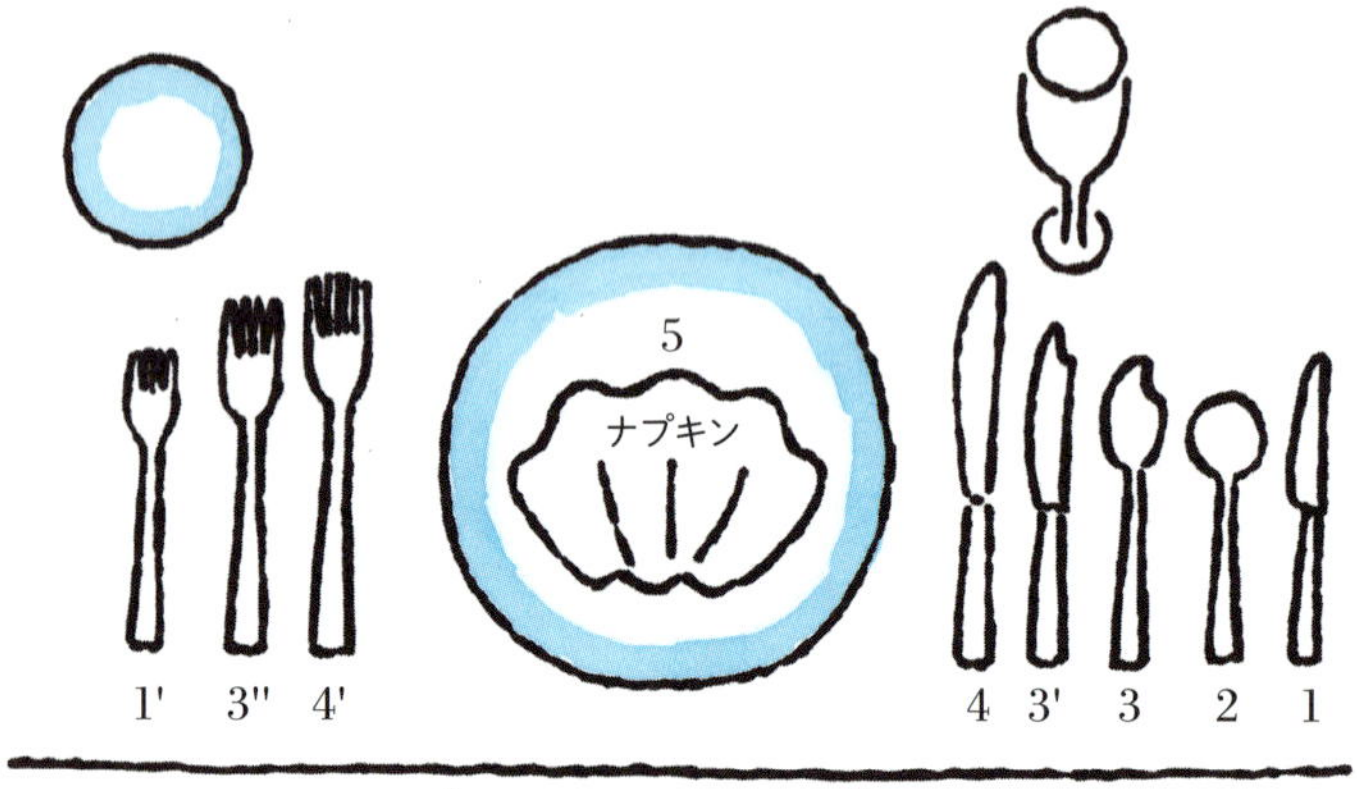

5　位置皿
　　みんなが座る位置を
　　あらわすよ。このお皿の
　　正面にすわりましょう
1'　オードブルフォーク
3''　魚用フォーク
4'　肉用フォーク

1　オードブルナイフ
2　スープスプーン
3　魚用スプーン
3'　魚用ナイフ
4　肉用ナイフ

ナプキンの置き方

大きいときは、
二つ折りにする

途中で席をたつとき

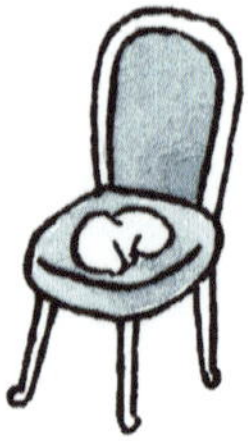

たたまずに、椅子の上におく

食べ終わったとき

たたまずに、
テーブルの右上におく

※日本では、軽くたたんでも良いですが、きれいにたたむのは、「おいしくなかった」「サービスがよくなかった」という意味になるので気をつけましょう。

part3

みんなと一緒の場での、思いやりのマナー

街で、乗り物のなかで、結婚式やお葬式で…
真心は形であらわせます

約束《やくそく》、時間《じかん》、順番《じゅんばん》を守《まも》るだけで、みんなハッピー

みんなは、自分《じぶん》がされてイヤだなって思《おも》うこと、ある？　きっとあるよね。自分がされてイヤなことは、相手《あいて》もイヤだと思うんだ。だから、自分がされてイヤなことはしない、って大事《だいじ》なことだよね。

また、自分が言《い》われてイヤな言葉《ことば》もあるよね。そういう言葉も、自分は言わないようにする。これって、とっても素敵《すてき》なことだと思わない？

おうちでも、おそとでも、みんなひとりじゃないよね。だから、いろんな人となかよく、たのしい時間《じかん》を過《す》ごすためには、相手《あいて》を思いやって、やさしくしたり、約束《やくそく》を守《まも》ることは、大切《たいせつ》なことなんだよね。

みんなが、お互《たが》いに、相手のことを思いやって、約束を守ったら、けんかもトラブルも起《お》きない、しあわせな社会《しゃかい》になるから、うれしいね。

POINT

- 相手によろこんでもらえることをしよう
- 相手のためになることをしよう
- 相手を傷つけることはしない・言わない
- みんなとなかよく、絆を深めましょう
- やさしくしてあげると、やさしくしてもらえるよ

相手のことを考えた、3つの「守る」

時間を守らないと…

雨が降っている中、外で待ち合わせをしていて遅れたら、待っている人は、雨に濡れたり、寒くなって風邪をひくかもしれません。

集合場所に遅刻したら、みんなが出発できずに、電車に乗り遅れたりします。

約束を守らないと…

相手は傷つきます。人の心を傷つけたら、それは、自分自身にもかえってきます。

順番を守らないと…

もともと、先に並んでいる人は、イヤな気持ちになります。
そこから、けんかになることも。

＊時間、順番、約束をお互い守れたら、笑顔でハッピー。もっと仲良くなれます。絆が深まります。

電車《でんしゃ》はおりる人《ひと》が先《さき》？
乗《の》る人《ひと》が先《さき》？

電車《でんしゃ》やバスなどの乗《の》り物《もの》に乗《の》ろうとするとき、おりてくる人《ひと》がいたら、いつもみんなはどうしてる？

おりてくる人をおしのけて、自分《じぶん》が乗ろうなんてしていないよね。そんなことしたら、おしくらまんじゅうみたいになって、おりる人はおりられないし、乗ろうとする人も乗れないよね。それに、おしくらまんじゅうになると、電車とホームの隙間《すきま》に足《あし》をはさんで大《おお》ケガをするかもしれなくて、とっても危《あぶ》ないよね。

だから、電車やバスに乗るときには、おりる人が先で、乗る人はあと、がマナーです。反対《はんたい》に、もし、みんながおりようとしているときに、それを無視《むし》して乗ってくる人がいたら、どう思う？　とても迷惑《めいわく》だよね。おりたいのに、おりられなくて、次《つぎ》の駅《えき》まで行っちゃった、なぁんてならないように、お互《たが》いを思いやろうね。

POINT

- 大きな声で話をしないようにしましょう
- 乗り物の中は運動場じゃないんだよ
- おりる人を優先させてから乗るのがかっこいいね

知らない人と一緒に乗っているからこそ、気持ちよく

＊電車やバスはおりる人が先
乗る人は後

＊電車の中で
走り回らない

＊電車の中で数名が固まって
ぺちゃくちゃおしゃべりしない

＊電車の中で悪ふざけて
お友達を叩いたり、
傘でつついたりしない

＊電車の床に座り込んで
おしゃべりをしながら、
飲食しない

保護者の方へ

基本中の基本ですが、子どもから目を離さないことは、保護者としての責務です。目を離したすきに、事故などに遭わないよう、愛するわが子をしっかりと守りましょう。また、子どもが他人に迷惑となる行動をとっていれば、速やかにそれを止めさせることも大切です。そのためにも、子どもから目を離すことは、タブーなのです。

エレベーターやエスカレーターでは…

　エレベーターに乗《の》るときも、おりるときも、ボタンを押《お》すって知《し》ってた？　乗るときは、上《うえ》か下《した》のボタンを押して、エレベーターがくるのを待《ま》とうね。おりるときには、「開《ひら》く」のボタンを押して、ほかの人に「お先《さき》にどうぞ」っておりてもらう。そうすると、「ありがとう」って言《い》ってもらえるよ。でも、無理《むり》はしないでね。エレベーターのドアに指《ゆび》やからだをはさまないように気をつけてね。

　もし、誰《だれ》かがボタンを押して待っていてくれたら、「ありがとうございます」とお礼《れい》を言って、おじぎもして、入《はい》ったり、おりたりしようね。そうしてくれたら、相手《あいて》はとてもうれしい気持《きも》ちになれるんだ。

　エスカレーターでは、歩《ある》いたり、走《はし》ってかけ上《あ》がったり、かけ下《お》りたりしちゃ、いけないよ。左右《さゆう》のどちらかに立《た》って、手《て》すりをもって安全《あんぜん》に上がったり下りたりしようね。

POINT

- エレベーターに乗るときは、おりる人が先
- エスカレーターでは歩いたり走ったりしないよ
- エレベーターやエスカレーターで指やからだをはさまないようにね
- エレベーターの中や、エスカレーターに乗っているときにはおしゃべりをしないでね

エレベーターのボタンを押す

＊乗るときは、上下のボタンを押します。
＊乗っているときに、他の人のために「開」のボタンを押してあげよう。

エスカレーターでは

＊左右のどちらかに立ち、手すりに手をそえ、歩いたり、走ったりしない。
＊自分より年下や小さな人と一緒に乗るときは、
上りのエスカレーターではその人の後ろに、
くだりのときはその人の前に立って、守ってあげよう。

次《つぎ》の人《ひと》のために、ドアを開《あ》けたらおさえておく

自分《じぶん》いがいの誰《だれ》かのために、できることをおこなう人《ひと》って、やさしくて、思《おも》いやりがあって、かっこいいって思わない？　たとえば、ドアを開《あ》けるとき。一緒《いっしょ》に建《たて》物《もの》やお部屋《へや》に入《はい》る人や、後《うし》ろから来《く》る人がいたら、その人に「どうぞ」と言《い》って、先《さき》に入《はい》ってもらって、自分はあとから入る。このとき、その人は、きっと「どうもありがとう」ってお礼《れい》を言うと思うよ。「ありがとう」って言われたら、うれしいよね。

反対《はんたい》に、みんなが誰かから「どうぞ、お先に」と言ってもらったときには、笑顔《えがお》で「ありがとうございます」と言って、先に入ればいいよね。すると相手《あいて》は「どういたしまして」って言ってくれるよ。

お互《たが》いが相手のことを思いやって、「どうぞ」「ありがとう」「どういたしまして」を言いあえる毎日《まいにち》って、なんだか楽《たの》しくって、ハッピーになるね。

POINT

- ドアを開けたら、うしろをふり返ってみよう
- ドアを開けたら、ほかの人に「どうぞ」と言って、先に入ってもらおう
- お礼を言われたら、「どういたしまして」と言ってみよう
- 「どうぞお先に」と言われて先に通してもらったら「ありがとうございます」とニコッとお礼を言おう

ドアを開ける

うしろをふり返る

先に通された人は、「ありがとう」を言う
「ありがとう」を言われた人は、「どういたしまして」と言う

歩《ある》いているときに人《ひと》にぶつかったら

学校《がっこう》の廊下《ろうか》や、駅《えき》の構内《こうない》、道《みち》を歩《ある》いている途中《とちゅう》などで、つい、人《ひと》とぶつかってしまうことってない？　そういうとき、みんなはどうしてる？

私《わたし》（西出《にしで》）がイギリスで生活《せいかつ》をしているとき、道ですれ違《ちが》う人と肩《かた》と肩があたってぶつかることがあったんだ。本当《ほんとう》は私が下《した》を向《む》いて歩いていたからぶつかったのに、悪《わる》くない相手が「Excuse《エクスキューズ》 me《ミー》（失礼《しつれい》しました）」って、言《い》ってくれて、すごくうれしかった。だから私もすなおに、すぐに「失礼《しつれい》しました」ってあやまることができたの。

自分から「失礼しました」って言うのは、恥《は》ずかしかったりするけれど、先にあやまったり、お礼を言える人って、素敵《すてき》だよね。だからみんなも、自分から先に言ってみようよ。私もその後、自分から言うようにしているよ。

ぶつかると、転《ころ》んでケガをすることもあるから、ぶつからないように、気をつけようね。

POINT

- 自分から先に「失礼しました」と言って会釈《えしゃく》をしよう
- にらみつけたり、舌打ちをしたりしないでね
- ぶつかりそうになったら、危ないから自分からよけようね

どっちがいい気持ち!?

✕

にらみつける
チェッと舌うちをする

○

「失礼しました」
と言って、会釈をする
相手も「失礼しました」と言う
→お互いがハッピーに。

道路《どうろ》では、ふざけないこと

道路《どうろ》は、トラック、車《くるま》や自転車《じてんしゃ》など、さまざまな乗《の》り物が行《い》き来《き》する、あぶない場所《ばしょ》だよね。事故《じこ》にあわないように、気《き》をつけることは、とてもだいじなことだね。事故にならないように、車や自転車などにのっている人《ひと》も、歩《ある》いている人も、お互《たが》いに、気をつけようね。

事故は、痛《いた》い目《め》にあった人（被害者《ひがいしゃ》）も、あわせてしまった人（加害者《かがいしゃ》）も、お互いが傷《きず》ついてしまうんだ。だから、ぜったいに、事故にならないように、注意《ちゅうい》しようね。

道路には、交通《こうつう》ルールがたくさんあるんだよ。みんなは、そのルールをしっかりと守《まも》って、自分も相手も守るマナー人《じん》でいようね。

お友《とも》だちと一緒《いっしょ》にいて、うれしくてはしゃぎたくても、道路は、目的地《もくてきち》にいくための道《みち》だから、ぜったいにふざけたりしないで、あぶなくない場所を、まっすぐにゆっくりと歩いてね。

POINT

- 道を渡るときは、前後左右を確認しよう
- せまい道ですれ違うときには、端によけて、相手を先に行かせてあげようね
- 迷子になったら、交番や近くにあるお店の人に助けを求めよう

道路は公共の場です。守りたい3つのルール

＊せまい道ですれ違うときには、
端によけて、相手を先に行かせてあげる

＊自転車にのるときは、
ヘルメットをつける

＊横断歩道は左右を確認し、
手をあげて渡る

保護者の方へ

西郷隆盛がいつも読んでいた『言志四録』という本を書いた幕末の儒学者の佐藤一斎先生は、「礼儀は鎧（よろい）」とおっしゃっています。相手を思いやる礼儀（マナー）を身につけることは、鎧となって最終的に自分を守るという意味です。

公共の場所では、マナーだけではなくルールもあります。ルールを守らないと罰を受けます。そうならないためにも、相手を思いやるマナーある行動で、相手も自分も守って、安全な生活を送ってください。

歩《ある》いたり、自転車《じてんしゃ》に乗《の》りながら、携帯電話《けいたいでんわ》やスマホはつかわない

歩《ある》きながらとか、自転車《じてんしゃ》に乗《の》りながら、携帯電話《けいたいでんわ》やスマートフォン（スマホ）をさわっていないかな？　道路は、とてもあぶない場所《ばしょ》だってこと、前《まえ》のページでお話《はなし》したよね。だから、携帯電話やスマホに気《き》をとられていると、事故《じこ》になっちゃうんだ。それは絶対《ぜったい》にダメだから、みんなは、しないでね。

携帯電話やスマホは、外《そと》にいて、いそぎの用事《ようじ》があるときに、おうちの人と連絡《れんらく》をとるために役立《やくだ》つもの。もし、外でつかうときには、まわりの人の迷惑《めいわく》にならない場所にいどうして、立《た》ちどまるか、椅子《いす》があれば、座《すわ》ってお話をしよう。

また、電車《でんしゃ》やバス、飛行機《ひこうき》などの乗り物や、病院《びょういん》などの公共《こうきょう》の場では、つかってはいけない時《とき》や場所《ばしょ》などの法《ほう》律《りつ》やルール、マナーもあるから守《まも》ろうね。

POINT

- ながら携帯・ながらスマホは事故のもとになるからやめようね
- 電話をするときは、人の迷惑にならない場所で立ち止まって話そうね
- 法律やルール、マナーを守って使おうね

携帯電話やスマートフォンは どこでも使っていいわけではありません

携帯やスマホは
相手に重傷を負わせる
可能性もあります

電車やバス、レストラン内での通話はNG

＊周囲の人の迷惑になります。

＊飛行機やレストランなども気をつけましょう。

＊ペースメーカーなど、心臓などに影響を及ぼす可能性があります。

かさで遊《あそ》ばないようにしよう

かさは、みんなを雨《あめ》や雪《ゆき》などから守《まも》ってくれる大切《たいせつ》なものだね。もしも、かさがなかったら、みんな雨や雪にぬれて、髪《かみ》の毛やお洋服《ようふく》も、びしょぬれになっちゃう。そうなったら、カゼをひいたり、熱《ねつ》を出《だ》したり、苦《くる》しい思《おも》いをすることになるんだよ。だから、かさをだいじに持《も》とうね。

かさは、雨や雪を受《う》け止《と》めてくれて、みんなを守ってくれるものだから、遊《あそ》び道具《どうぐ》じゃないよね。かさをサッカーボールのようにけったり、バットのように振《ふ》りまわしたりしないよね。また、お友だちを「ねぇねぇ」ってかさで肩《かた》をたたいたり、つついたりしてもダメだよ。悪《わる》気《ぎ》なく、ふざけていても、それが、大《おお》きな事故《じこ》につながることだってあるんだ。気をつけようね。

人とすれ違《ちが》うときは、かさが人にあたらないように、かたむけます。

POINT

- かさはみんなを守ってくれるものだよ
- かさをけったり、振り回したりしないでね
- かさで人を叩いたり、つついたりしないよ

かさは遊び道具じゃないよ

困《こま》っている人《ひと》にはかさをさしかけてあげよう

雨《あめ》がふっているときに、かさを持《も》っていない人がいたらどうする？「よかったら、どうぞ」と言って、自分《じぶん》のかさに入れてあげると親切《しんせつ》だね。お友だちだったら、「一《いっ》緒《しょ》に入《はい》って」っていえばいいね。

かさを持っていなくて、困《こま》っている人がいたら、かさをさしかけてあげてみよう。

たとえば、赤《あか》ちゃんを抱《だ》っこしているお母《かあ》さんや、雨にぬれているお年寄《としよ》りがいたら、きっとよろこんでくれるよ。そして、みんなに「ありがとう」という感謝《かんしゃ》の言《こと》葉《ば》を言ってくれるよ。

また、バスや車《くるま》に乗《の》るときやおりるときなど、かさをひらけない人にも、ぬれないようにさしかけてあげると、とても親切で素敵《すてき》なおこないですね。

人のためによいことをしてあげていることを、きっと、神様は見ていてくださるでしょう。

POINT

- かさをもっていない人に「一緒に入ろう」と言ってみよう
- 雨にぬれないように、かさをかざしてあげよう
- かさをさしかけてあげるときに、相手に水滴がかからないように気をつけよう
- 水滴で人や床を汚さないようにしよう

かさをしまうときは、
水滴をはらって、まとめる

かさカバーに入れて、
お店や構内の床を
ぬらさないようにする

かさカバーに入れて、
水滴が人につかないように気をつける

保護者の方へ

折りたたみの傘を予備として持っていると誰かのために役立つこともありますね。

また、傘カバーも、人に水滴をつけたり、床を濡らしたりせず、滑ったりする事故の予防にもなります。折りたたみの傘は、カバンやバッグの中にしまえるので安心です。

美術館《びじゅつかん》・博物館《はくぶつかん》・図書館《としょかん》などでは、おしゃべりしない

美術館《びじゅつかん》や博物館《はくぶつかん》は絵《え》や作品《さくひん》をゆっくり見《み》て楽《たの》しむところだよね。図書館《としょかん》は本《ほん》を探《さが》したり読《よ》んだりする場所《ばしょ》。こういう場所では、大《おお》きな声《こえ》を出《だ》したり、ぺちゃくちゃと話《はなし》をしたり、走りまわったりしてはいけないんだよ。だって、しずかに絵を見ている人《ひと》や、本を読んでいる人たちのじゃまになるからね。みんなはいい子《こ》だから、ほかの人に迷惑《めいわく》をかけることは、しないよね。もし、話《はな》したいときには、話してもよい場所があるから、そこで話そうね。

このように、いろんな人が利用《りよう》する場所には、ルールがあるんだ。たとえば、「お静《しず》かに」とか、写真《しゃしん》をとってはダメという「撮影禁止《さつえいきんし》」とか、食《た》べたり飲《の》んだりしながら絵を見たり、本を探したりしないようにと、「飲《いん》食《しょく》禁止《きんし》」という注意書《ちゅういが》きもあるかもしれないね。こういうルールは絶対《ぜったい》に守《まも》ろうね。食べたり、飲んだりしてもいい場所があるから、そこで食べたり飲んだりしようね。

POINT

- 絵や彫刻、書道などを見るときには、静かにしようね
- どうしても声を出すときは、小さな声でね
- おしゃべりは、話をしてもいいスペースでしよう
- その建物のルールを守ろうね
- お菓子や飲みものを食べながら、飲みながら歩かないよ

大きな声で話す。走りまわる。お菓子や飲みものを持ちながら歩く。
やってはいけない３つのルールです。

結婚式《けっこんしき》やお葬式《そうしき》は、静《しず》かに座《すわ》っていましょう

結婚式《けっこんしき》は、みんなでよろこぶお祝《いわ》いの場所《ばしょ》だよ。だから、結婚式では、暴《あば》れたりしないで、ニコニコ顔《かお》で、きちんとお席《せき》に座《すわ》っていようね。そして、みんながお祝いの拍手《はくしゅ》をしたら、みんなも一緒《いっしょ》に拍手をしよう。

お葬式《そうしき》は、亡《な》くなった（しんだ）人《ひと》に、「今《いま》までありがとうございました」と感謝《かんしゃ》を伝《つた》えたり、宗教《しゅうきょう》におうじて「やすらかにお眠《ねむ》りください」とか「天国《てんごく》に行《い》ってください」ってお祈《いの》りするんだよ。お葬式では、悲《かな》しんでいる人がいるから、大声《おおごえ》を出《だ》したり、さわいだりしないようにしてね。

歩《ある》くときは、背中《せなか》を丸《まる》めてダラダラ歩かないようにするんだよ。席に座っているときも、背《せ》すじはピンとさせて、足《あし》をぶらぶらさせないようにね。足はひざとかかととつま先《さき》をきちんとつけて、座《すわ》ってね。

POINT

- その場に合った服で行こうね
- 姿勢よく静かに座っておこう
- 大声を出してさわいだり、走り回ったりしないよ

保護者の方へ

結婚式やお葬式は、フォーマル（正式）な場所です。このような場所では、身だしなみのマナーも大切です。結婚式での服装は、お祝いの気持ちを表しますから、男の子は、蝶ネクタイをつけたり、女の子は、大きなリボンをつけたりして、華やかに。

お葬式での子どもの服装は、真っ白いシャツに黒いズボンやスカート。靴下と靴は、黒にするとよいでしょう。靴下は、子どもは白でも構いません。制服があるなら、それでもよいです。もし、赤いリボン付きの制服の場合は、リボンを黒にするなどの配慮をしてもよいでしょう。

公共《こうきょう》のトイレをつかったら、キレイにして出《で》ましょう

お外《そと》でトイレをつかうときは、おうちのトイレよりも、キレイにつかおうっていう気持ちをもってね。次に使う人は、おうちの人じゃないから、よごしたままだと、怒《おこ》る人もいるかもしれないからね。

お外のトイレでも、キレイに流《なが》し終えたことを確認《かくにん》してから、出《で》ようね。

また、人がならんでいるときは、最後《さいご》にならんで自分《じぶん》の順番《じゅんばん》がくるまで待《ま》つんだよ。でも、どうしてもがまんできないときには、「すみません。がまんできないので、先《さき》に行《い》かせてもらってもいいですか？」と、恥《は》ずかしがらずに、勇気《ゆうき》を出してお願《ねが》いをしてみよう。

手をあらう洗面台《せんめんだい》に髪《かみ》の毛《け》やゴミなどが落《お》ちていないかもチェックして、キレイにしようね。

自分いがいの誰《だれ》かのためを思って行動《こうどう》する人には、必ず神様《かみさま》からプレゼントがあるよ。

POINT

- もれそうなときには、お願いして先に行かせてもらおう
- 洗面台をキレイにふこうね
- 落としたゴミは、拾って捨てようね

便器を使用したら、水を流しましょう

備え付け以外の紙は使用しないように。つまってしまう恐れがあります。

トイレットペーパーなどを床に落としたときは、拾って捨てましょう

自分で汚した便器は、次の人のために、きれいにして出ましょう

洗面台で手をあらったら、飛び散った水しぶきをきれいにふきましょう

洗面台がぬれていたら、次に使用する人が、バッグなどを置けません。

つかったものは
元《もと》の位置《いち》にもどしましょう

おうちや学校《がっこう》などで、つかうものは、ほかの人もつかいたいと思《おも》っているよ。みんなでつかうものは、みんながわかる場所《ばしょ》に置《お》いておくのが思いやり。だから、ものを持《も》ち出《だ》して、つかったら、必《かなら》ず、元《もと》の場所《ばしょ》にもどそうね。

「自分《じぶん》だけがつかえればいい」「自分だけが、場所を知《し》っていればいい」って思うのは、自己中心《じこちゅうしん》で、思いやりのない人だって、思われちゃうよ。

また、元の場所にもどさないと、困《こま》る人も出《で》てくるよね。もし、自分がつかいたいときに、それがいつもの場所になかったら、みんなも困るでしょ？

みんなが安心《あんしん》して寝《ね》る場所が決《き》まっているように、はさみや、えんぴつなどの道具《どうぐ》も、いつもの場所にもどっていないと不安《ふあん》になるよね。道具をつかったら、「ありがとう」って感謝《かんしゃ》して、安心《あんしん》して休《やす》める場所にもどしてあげようね。

POINT

- みんなで使うものは、他の人のことも考えて使おう
- 使ったものは、元の場所にもどすんだよ
- 道具たちの気持ちも考えて、安心できる場所にもどしてあげよう

使いたいとき、いつもの場所になかったら、どんな気持ち？

元にもどしておらず置きっぱなしだと、
他の人がそれを使用しようと思ったときに、
いつもの場所になく、困ってしまいます。

ものを受《う》け取《と》ったり、わたすときは向《む》きに気《き》をつけよう

人《ひと》にものをわたすときに、気《き》をつけていること、ある？ものを受《う》け取《と》る相手《あいて》のことを考《かんが》えてみよう。まず、片手《かたて》でわたされるのと、両手《りょうて》でわたされるのには、どっちがていねいだと思《おも》う？　両手のほうだね。もちろん、ケガなどで片手しかつかえないときは、それでいいからね。

つぎに、はさみやカッターなど、切《き》れるものはどうでしょう？　これはとってもあぶないね。相手にケガをさせないように、切れるほうを向《む》けてわたしちゃダメだよ。えんぴつやボールペン、マジックなども同《おな》じだね。とがった先《さき》を向けてしまうと、相手を傷《きず》つけるだけでなく、えんぴつやペンの色《いろ》がついたりもするからね。絶対《ぜったい》に相手に先を向けないようにしようね。

わたすときには「どうぞ」、受け取るときは「ありがとう」って言《い》おうね。わたす人も受け取る人もお互《たが》いに、相手に感謝《かんしゃ》してやり取《と》りができると、気持《きも》ちいいね。

POINT

- ものは、両手でわたしましょう
- とがった先を相手に向けてはいけません
- わたす人は「どうぞ」、受け取る人は「ありがとう」と言いましょう

保護者の方へ

ものを渡すときは、鋭利な側を相手にむけず、両手で、胸の高さで持つのがマナーといわれています。日頃から、親御さんたちが、お子さんに対して、このような姿勢で「どうぞ」といって渡していると、子どもたちは自然とそれを身につけます。また、ものを渡してもらったら「ありがとう」をお忘れなく。マナーはお互い様ですから、渡す人も受け取る人も、相手の立場にたって、相手を思いやる優しい気持ちでやり取りをする習慣が大切です。

よそのおうちを訪問《ほうもん》したとき

よそのおうちに行《い》ったときには、「おじゃまします」とあいさつをして、入《はい》ろうね。おうちのなかに入ったら、勝手《かって》なことはしないようにね。そのおうちの人《ひと》に案内《あんない》されたお部屋《へや》だけで過《す》ごすんだよ。ほかのお部屋に勝手に入ったり、ものをさわったりしちゃいけないよ。あとで、ものがなくなったとか、ものをこわされた、なんてことになったら、お互《たが》いイヤな思《おも》いをするからね。

また、どんなものが入っているんだろう？ とか、おなかがすいたからといって、冷蔵庫《れいぞうこ》やたななども、勝手に開《あ》けちゃダメだよ。さらに、ジュースなどの飲《の》みものや、食《た》べものも、勝手に飲んだり食べたりしないように。

トイレに行きたくなったときには、「トイレをかしてもらってもいいですか？」とお願《ねが》いをしてつかわせてもらおうね。

POINT

●泥でよごれたり、雨などでぬれたくつや洋服は、玄関先でふいてからあがろうね

●苦手な動物を飼っていたら、「やだー」とか「こわい」などではなく、「ごめんなさい。ちょっと苦手なので、近づくことができません」と言って、そばにこないようにしてもらおう

勝手にものをさわったり、
冷蔵庫をあけたり、
ベッドで遊んだり
しないようにね

保護者の方へ

よそのお宅に子どもと一緒にうかがうときにも、目を離さないようにしてください。また、お子さんがひとりで出向くときには、出発前に、本書に書いている注意点を再度、伝えてあげましょう。

また、よそのお子さんを受け入れるときには、すべって転んだり、ものを踏みつけてケガなどをしないよう、床への配慮をし、子供用のスリッパを用意しておくと良いでしょう。また、危ないものは、子どもたちの手の届かない場所に移動させ、事故がおきないようにしてあげることもお互いのために大切なことです。

スーパーなどで気をつけたいこと

part4

言い方ひとつで、すべてが変わる、ことばのマナー

謝る、お願いをする、言葉遣い…
愛される子の伝え方、聞き方

言《こと》葉《ば》ひとつで、やさしくもこわくもなる

もし、とつぜん、「座《すわ》れ」と言《い》われたら、どういう気《き》持《も》ちになる？ なんだか、命令《めいれい》されているみたいで、イヤな気分《きぶん》になるよね。では、「座ってください」って言われたら、どう？ 「座れ」と言われたときと比《くら》べたら、ていねいな感《かん》じがするよね。

言葉《ことば》に、「です」や「ます」、「ください」「お願《ねが》いします」などを足《た》してあげると、やさしい印象《いんしょう》になって、イヤとか怖《こわ》いとは思わなくなるんだよ。

また「花《はな》」に「お」をつけて「お花」、「水《みず》」に「お」をつけて「お水」と言うほうが、ていねいで美しい感じがするよね。きっと、お花やお水も、「お」をつけてもらうほうがていねいだから、よろこんでくれるね。

みんながていねいな言葉をつかうと、ひとも、動物《どうぶつ》も、植物《しょくぶつ》、自然界《しぜんかい》のみんなが、よい気持ちになれていいね。

POINT

- 命令するような怖い言い方はしないでね
- 「です」「ます」を使って、ていねいな言い方をしよう
- 相手にわかりやすいように、くわしく言ってあげると親切だよ

やさしい言葉は、みんなをやさしい気持ちにします

「です」をつけて丁寧に言うと、
相手が笑顔になりますね。

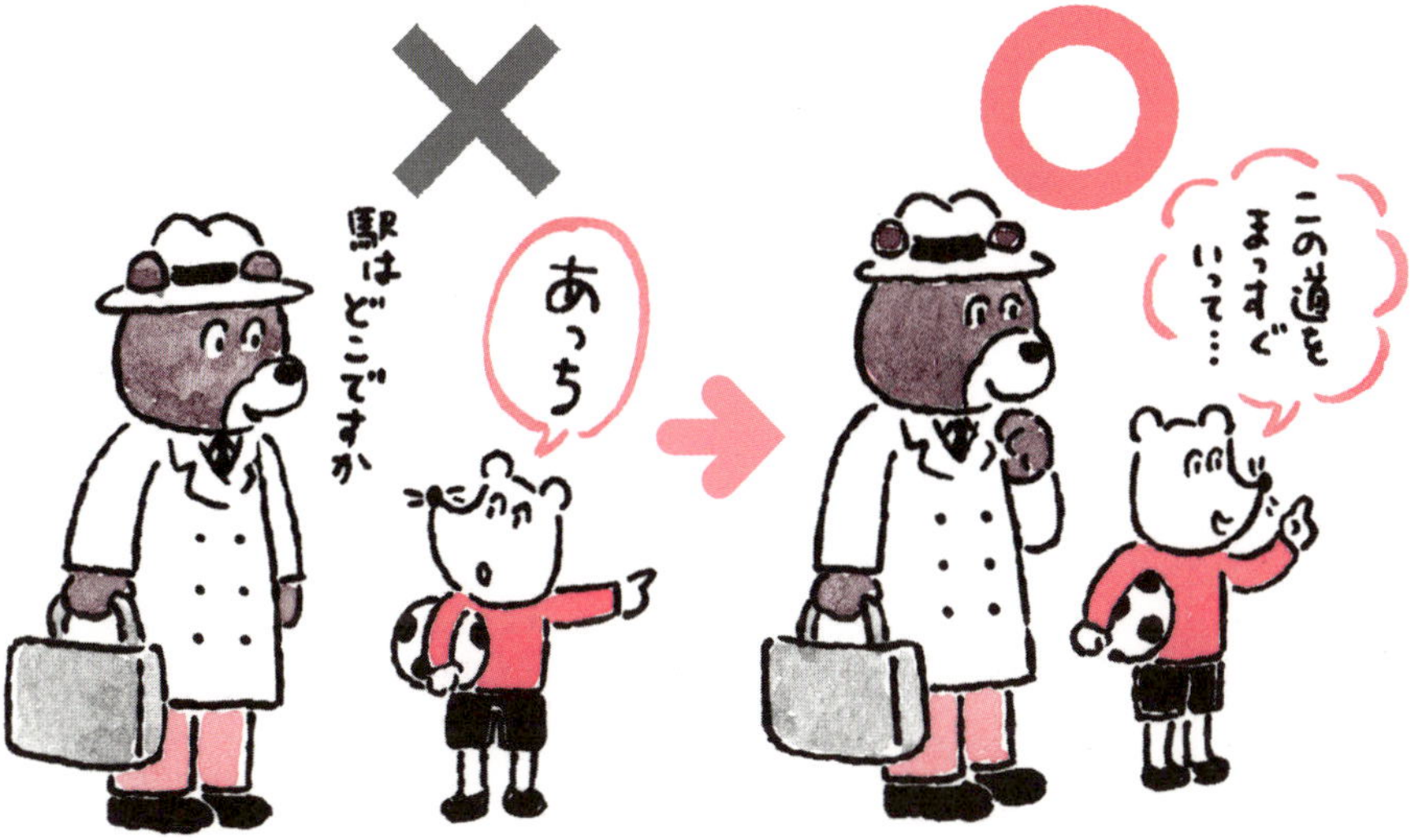

くわしく言ってあげると、
相手は道に迷いませんね。

話《はなし》をするときには「位置《いち》」があります

人《ひと》と話《はなし》をするときに、自分《じぶん》がどこに立《た》って、どの位置《いち》で話《はなし》をすればいいのか、考《かんが》えてみたことある？ 最初《さいしょ》に気《き》をつけることは、相手《あいて》よりも高《たか》い位置《いち》から話さないようにすることだよ。

高い場所《ばしょ》から話をすると、相手《あいて》を見下《みお》ろしてしまうから、「えらそう」「いばっている」って思《おも》われてしまうんだ。自分では、そういうつもりはなくても、相手がどう思うかでマナーのいい、わるいは決《き》まっちゃうから、相手を不快《ふかい》にさせることは、しないようにしようね。

お友《とも》だちと話をするときには、目《め》の高さを一緒《いっしょ》にして話《はな》してもいいよ。自分よりも背《せ》の低《ひく》い人と話すときには、少《すこ》しかがんで話すと思いやりがあるよね。車椅子《くるまいす》に乗《の》っている人や、小《ちい》さな子《こ》どもと話すときも、相手の目の高さに合《あ》わせると「やさしい人」と思ってもらえるよ。やさしい心《こころ》を、どんどん、行動《こうどう》にうつしてみよう。

POINT

- 相手を上から見下ろしながら話すのはやめようね
- お友達同士は、目の高さを同じにして話そう
- なかよく話すには、隣りに座ったり、45度から90度に位置するよ
- かしこまって話すときには、正面に向かいあうよ

上から話をすると、
えらそうで、いばっているように見えます

相手よりも高い位置から話をすると、相手を下に見ることになるため、それを嫌がる人もいます。

目上《めうえ》の人《ひと》と話《はなし》をするときには…

目上《めうえ》の人とお話《はなし》をするときには、身《み》だしなみにも気《き》をつけようね。髪《かみ》の毛が乱《みだ》れていないか、洋服《ようふく》にしわや汚《よご》れはないかなどの確認《かくにん》をしよう。

身だしなみは、相手《あいて》をそんけいしている気持《きも》ちをあらわすものだから、身だしなみをきちんとすると、相手は、うれしく、よろこんでくれるよ。

また話《はな》しはじめと終《お》わりは、きちんとあいさつをしようね。話しはじめは、「おはようございます」「よろしくお願《ねが》いします」など。終わりは「ありがとうございました」とお礼《れい》を言うんだよ。すると、相手はさらにうれしく思ってくれるよ。

それに「お忙《いしが》しいところ…」「お時間《じかん》をとってくれて…」と「ありがとう」の前《まえ》に、「お忙しいところ」とか「お時間をとってくれて」などの言葉《ことば》をつけたら、完璧《かんぺき》だよ。

POINT

●「お話してくれてありがとう」の感謝の気持ちをわすれないでね

●相手よりも先にあいさつとおじぎをするんだよ

●緊張しても、ニコニコ笑顔をわすれずにね

（ただし、注意されているときなどに笑っていてはいけません）

話をするときの基本は、
対面に向き合います。
目上の人のとなりに立ったり
座ったりしないほうが
礼儀正しい印象になります。

みだしなみは、かがみで
チェックしよう。見た目にも
「こころ」があらわれるから
ね。

人《ひと》に話《はな》しかけるときは、いきなり話《はな》しかけないで

おうちの人《ひと》やお友《とも》だち、学校《がっこう》の先生《せんせい》や、店《みせ》の人などに、話《はな》したいことや聞《き》きたいことなどがあるとき、最初《さいしょ》になんて言《い》って、話しかけてる？　いきなり、「これって、なに？」とか「ここ、おしえて」とか、言ってない？

ひとに話しかけるときには、「今《いま》、お話《はなし》してもいいですか」とか、「聞きたいことがあるのですが、おしえてもらえますか？」などと最初に言おう。相手《あいて》は、気持ちよくみんなの話を聞《き》いてくれるよ。

イギリスの子どもたちは、人に話しかけるとき、いつも“Excuse《エクスキューズ》 me《ミー》”（「今、話しかけてもいいですか」という意味）と言って、相手《あいて》から「いいですよ」と返事《へんじ》をもらったら、話をはじめるんだ。なんて礼儀《れいぎ》正しいんだろうと、いつも感心《かんしん》していたよ。

このようなひと言《こと》を言うと、話しかけられた人は、気《き》分《ぶん》よく安心《あんしん》してその後《あと》、お話をしてくれるよ。

POINT

- 話しかけるときは、ちかくに行ってから話しかけよう
- いきなり話しかけないで、相手の都合を聞いてみよう
- 恥ずかしいと思っても、勇気を出して話しかけてみよう
- 話しかけるときは、感じのいい表情でね

名前がわかっていたら「○○ちゃん、今、話せる？」など、名前を呼んでコミュニケーションをとりましょう。

お願《ねが》いをするときの言《い》い方《かた》があります

何《なに》かをお願《ねが》いしたいときは、ていねいな言《い》い方《かた》をしようね。たとえば、席《せき》をかわってもらいたいときは、「席をかわってもらえませんか？」という言い方をしようね。いきなり「ちょっと、席、かわってよ！」なーんて、一《いっ》方的《ぽうてき》な言い方はしないようにね。

もし、このような言い方をされたらどう思《おも》う？

お願いをするときには、最初《さいしょ》に、相手《あいて》によい気分《きぶん》になってもらうことが大事《だいじ》なんだよ。そうすると、お願いをきいてもらえやすくなるよ。相手《あいて》が気持《きも》ちよくお願いをきいてくれたら、お互《たが》いハッピーだよね。

お願いをきいてもらったら、「どうもありがとう」と必《かなら》ずお礼《れい》を言おう。そして、「うれしい！」「助《たす》かるわ！」などの気持ちも伝《つた》えると、相手は自分がよいことをしたと思えて、もっとよい気分になれるよ。

POINT

●お願いは、命令口調で言わないようにね

●お願いは、相手の目を見て、伝えよう

●お願いごとをきいてもらったら「ありがとう」とお礼を言おう

●お願いする理由も伝えてみよう
相手はなっとくして、お願いをきいてくれやすくなるよ

お願いしたい人の前に行って、あいさつをします。

お願いしたいことと、その理由を言いましょう。

話《はなし》がうまい人《ひと》は、聴《き》くのもうまい

人《ひと》と話《はなし》をするときは、相手《あいて》がいることを忘《わす》れないようにしようね。相手の話を聞《き》かずに、自分《じぶん》だけが、一方的《いっぽうてき》に話をするのは、マナー違反《いはん》だよ。「話し上手《じょうず》は、聞き上手《じょうず》」っていう言葉《ことば》があるんだよ。人の話をよく聴《き》ける人は、お話も上手に話せるっていう意味《いみ》なんだ。だから、うまく話をしたいって思うなら、まずは、人の話をしんけんに聞こうね。

　人のお話を聞いているときには、「うん、うん」とうなずいたり、「へぇ～！　すごいね！」などの、感想《かんそう》を言ったりしてあげよう。そうすると、相手は、とてもうれしいんだ。それに、自分の話をちゃんと聞いてくれるいい人だって、思ってくれるよ。

　また、まだ相手が話しているときに、勝手《かって》に話しはじめちゃダメだよ。自分が話したいときは、相手が話し終《お》わってから、話をするようにしようね。

POINT

- よそ見をしないで話に集中しようね
- 人の話を聞くときには、うなずきながら、聞こうね
- 「へぇ！」「すごいね！」などの感想を伝えると、喜んでもらえるよ
- お話は、相手が話し終えてから話しはじめるのがマナーだね

話をするときには、相手がいることを忘れないようにしましょう

返事《へんじ》をすること、わすれてない？

みんなは、いつも「はい！」って返事《へんじ》をしてるかな？「○○ちゃん」とか「○○くん」とか、名前《なまえ》を呼《よ》ばれたら、元気《げんき》よく「はい！」って返事をしようね。ちょっと練《れん》習《しゅう》をしてみよっか？　いま、声《こえ》に出して、返事をしてみよう。せーの！「はい！」。

ちゃんと声に出して言《い》えたかな？

返事をすることは、相手《あいて》のことを無視《むし》していないよ、っていう気持《きも》ちを伝《つた》えることなんだよ。みんな、無視されるのは、イヤでしょ。だから、無視しないように、ちゃんと返事をしようね。

また、人から何かを頼《たの》まれたり、注意《ちゅうい》をされたあとも、「わかった？」って聞《き》かれたときも、ちゃんとわかったのなら、感《かん》じよく「はい」って返事をしようね。返事のあとに「わかりました」って言えたら、２００点《てん》だよ。

POINT

- 何か言われたら、まず「はい」と返事をしよう
- お願いをされたら「はい、わかりました」と「わかりました」もプラスしよう
- 「はい！」で会話にリズムをつくろう
- 「はい！」は最高のプレゼントだよ

何かを言われたら、だまっているのは×。
返事もあいさつのひとつ。コミュニケーションです。

保護者の方へ

「おかあさぁ～ん」とお子さんから呼ばれたとき、「なぁにぃ～？」と言っていませんか？学校や社会生活で、よい人間関係を築ける子になるために、「はい」という返事は大切です。ご家庭でも話しかけられたり、呼ばれたら、保護者の皆様から「はい！なぁに？」という返事を心がけてみてください。「ハイ♪」の返事からコミュニケーションをスタートさせてみましょう。

話《はな》しかけられたら、呼《よ》ばれたら、相手《あいて》のほうを向《む》く

人《ひと》に話《はな》しかけられたり、呼《よ》ばれたりしたら、「はい！」って返事《へんじ》をするよね。

そのときに、からだごと、顔《かお》を相手《あいて》のほうに向《む》けることを、わすれないでね。相手にからだを向けるときは、顔だけではなく、頭《あたま》から足先《あしさき》まで、からだのすべてを向けるほうが、ていねいに感じられて、いいよね。それに、からだ全体《ぜんたい》を相手に向けないと、「口先《くちさき》だけ返事」だと思われてしまうから気をつけようね。

相手に失礼《しつれい》をしないで、よろこんでもらえるマナーコミュニケーション®をとるには、「ことば」と「こうどう」と「こころ」が大事《だいじ》なんだ。相手に対《たい》する思いやりのこころがあれば、「はい！」っていう「ことば」を言って、かおやからだ全体を相手に向ける「こうどう」をするんだよ。「こころ」と、「ことば」と、「こうどう」。これが『3つの“こ”』。おぼえておこうね。

POINT

●話しかけられたら、からだ全体を相手に向けようね

●話しかけられたら無視しちゃダメだよ。

●こころ・ことば・こうどうの「3つの“こ”」を忘れずにね

○

話しかけた人のほうを向くと、相手もよろこぶよ。

保護者の方へ

相手への思いやりの気持ち・心があれば、言葉と行動はセットになります。『ことば・こうどう・こころ』は、ワンセットです。これを『3つの“こ”』といいます。言葉や行動という型だけを教えるのではなく、心があるから、それを言葉と行動であらわすのだと伝えてあげることで、お子さんは、決してなくなることのないマナーという財産を手に入れ、成功し、幸せな人生を歩むことでしょう。

人《ひと》と人《ひと》が話《はなし》をしている最中《さいちゅう》は割《わ》りこまない

誰《だれ》かと楽《たの》しく話《はなし》をしているときに、ほかの人がとつぜん割《わ》りこんできたら、どう思《おも》う？

人《ひと》と人とが話をしているときに、とつぜん割《わ》りこむのは、マナー違反《いはん》だよ。だって、せっかく話をしているのに、ほかの人が話しはじめたら、その場《ば》のペースやリズムがみだれてしまうよね。だから、話に加《くわ》わりたいときは、お話が終《お》わるのを待《ま》ってからにしようね。

そして、まずは「いっしょに、お話してもいい？」とか「仲間《なかま》に入《い》れてもらえる？」と聞いてみよう。そうして、「いいよ」「どうぞ」って、りょうかいをもらったら、話に加わろうね。りょうかいを得《え》たら、みんなでなかよく気分《きぶん》よく、お話しすることができるよ。

話がなかなか途切《とぎ》れそうにないときは、その場で待っていてもいいし、いったん、その場《ば》からはなれて、時間《じかん》をあけてもどってみるのもいいね。

POINT

- 人と人との話にとつぜん割り込まないようにしようね
- 話に入りたいときは、会話が途切れたときがチャンス！
- 話に加わりたいときには、りょうかいを得よう

人と人が話している最中に割りこむと、話をしている人たちのペースをみだします。

悪口《わるぐち》は、ぜったいに言《い》わない

悪口《わるぐち》を言《い》われて、うれしい人《ひと》って、いるのかな？ みんなはどう思《おも》う？

悪口を言っていると、自分も悪口を言われてしまうよ。

悪口を言われると、心が傷《きず》ついちゃうよね。

もし、うっかり悪口を言って、相手《あいて》を傷《きず》つけたら「ごめんね」とあやまろう。そのあとは、なかよくしようね。

悪口は、いじめのひとつともいえるんだ。軽《かる》い気持ちで言ったり、書《か》いたりした悪口で、相手が落《お》ちこんで、相手の心に一生残るような傷をつける場合だってあるんだよ。言ったほうは忘れてしまうようなことでも、言われたほうはぜったいに忘れられない、そういうこともあるんだと覚えておこうね。

思いやりのあるやさしいみんなは、悪口じゃなくて、人のいいところを見つけてほめるようにしようね。またインターネットなどに、悪口を書くこともやめようね。

POINT

- かげでこそこそと悪口をいうのは、マナー違反だよ
- 悪口は言葉の暴力にもなるんだよ
- 言いたいことがあるときには、本人の前で正々堂々と言いましょう

人の悪口は本人のいないところでも言わないようにしましょう。
人の悪口を言うと、次は、自分が悪口を言われてイヤな（悲しい）気持ちになります。

あやまるときは、どう言《い》いますか？

ものをこわしてしまったり、お友《とも》だちから借《か》りた本《ほん》をなくしてしまったり、相手《あいて》をおこらせてしまったことってない？　そういうときには、すぐに、正直《しょうじき》に伝《つた》えて、「ごめんなさい」ってあやまろうね。

また、楽《たの》しく遊《あそ》んでいるときに、お友だちにケガをさせてしまうこともあるかもしれないよね。そういうときもすぐに「ごめんね。大丈夫《だいじょうぶ》？」と言って、おうちの人に連絡《れんらく》をしたり、手当《てあて》をしたり、助《たす》けてあげるんだよ。

わざとじゃないから、あやまりたくないって、思うかもしれないね。でもね、あやまることは、負《ま》けることでも、恥《は》ずかしいことでもないんだよ。

「ごめんなさい」を言えたら、そのあとも、なかよしでいられるよ。素直《すなお》にあやまれる人には、いいことがたくさん起きるよ。正直《しょうじき》で素直《すなお》な人を、神様《かみさま》は応援《おうえん》してくれるから。

POINT

- 物をこわしたりなくしたりしたら、すぐにあやまろうね
- ケガをさせてしまったら、すぐにあやまって、おうちの人に連絡をするんだよ
- ルールや約束をやぶったときも、「ごめんなさい」ってあやまろう
- あやまることは、恥ずかしいことじゃないからね

すぐに自分からあやまろう。
そのほうが、お互い、イヤな
気持ちにならなくてすむよ。

プレゼントをもらったら喜《よろこ》びを伝《つた》える

プレゼントをもらったら、笑顔《えがお》で「ありがとうございます！うれしい！」とお礼《れい》を伝《つた》えて、おじぎもしよう。

親戚《しんせき》や目上《めうえ》の人からプレゼントをもらったら、必《かなら》ずおうちの人に報告《ほうこく》してね。おうちの人からも、お礼を言《い》うのがマナーだからね。

プレゼントを送《おく》ってもらったときには、すぐに電話《でんわ》でお礼《れい》を伝えて、そのあとに、お手紙《てがみ》でもお礼を伝えよう。そのときに、もらったプレゼントを絵《え》に描《か》いたり、プレゼントと一緒《いっしょ》に写《うつ》っている写真《しゃしん》を同封《どうふう》したりすると相手《あいて》はとてもよろこぶよ。

メールでもいいけど、お手紙のほうがていねいで、みんなのうれしい、よろこびの気持《きも》ちをいっそう伝えることができるよ。

POINT

- ものをもらったら「ありがとう」のお礼を言おうね
- うれしい気持ちをことばや、えがお、おじぎなどのたいどでも表現しよう
- お礼状を書いて送ろうね

「もっと違うものがよかった」と言ったり、「こんどは○○をちょうだい」など、おねだりはしないでくださいね。相手の気持ちに「ありがとう」をわすれずに。

保護者の方へ

「お礼は３日以内に」と言われますが、日々の忙しさに、つい、後回しになりがちです。何かをいただいたら、すぐにお礼を伝える習慣をつけると良いでしょう。近年は、メールでのお礼もありと言われますが、電話で直接お礼を伝えるほうが、ほんの数秒にして終わらせられますし、効果的です。丁寧にお礼を書こうと思うから、つい後回しにして、結局、タイミングを逃してお礼を言わなかった……となるのです。

子どもにいただきものをしたら、子どもに自筆でお礼状を書かせ、切手をはって投函させましょう。メール世代の子どもたちは、郵便物の書き方、出し方に慣れていないため、このようなお礼状を出す機会に実践で学ばせるとよいでしょう。

子どもに言うことは、自分自身も言ったり、行動したりする姿勢が大事。お礼状を通じて、お子さんとともに、保護者の皆様も自分磨きができます。

終章

大人の皆様へ――
マナーは教えるものではなく、伝えるものです

西出ひろ子

子どもには「言う」ではなくて、「やって」みせる

私共は、マナー講師・マナーコンサルタントとして、小学生から80代の人生の先輩方までを対象に、日々、マナーを伝えながら、人財の育成を仕事としています。私共がもっとも気をつけていることが、「人に言うのは簡単。肝心なのは、それを、自分ができているかどうか」ということです。

私共は、マナーを「教える」とは、決して言わないし、思ってもいません。子どもたちにも、「教える」という気持ちではなく、マナーを「伝える」という気持ちで接します。「教える」という上から目線ではなく「伝える」すなわち、コミュニケーションをとるという気持ち。なぜそうするかというと、マナーとは〝相手の立場にたつ〟ことだからです。

自分が子どもの頃を思い出してみましょう。大人から何かを教えてもらうことは、日常茶飯事だったと思います。でも、それが時に口うるさく、耳障《みみざわ》りになって、言うことをききたくないとか、きかなかったりしたことはありませんか。

私たちがなぜ、子どもたちにマナーを身につけてもらいたいと思うのか？　それは、学校や公共の場の社会生活において、また、これから大人になり、社会に出ていく子どもたちのことを思ってのことで

すよね。そしてそれは、家庭内でも同様のことであり、あなたや家族にとってもプラスになることだからでしょう。

　マナーはお互いのハッピー×ハッピーのためにあります。ここで、子どもたちが、あなたの言うことをきき、マナーを身につけてくれるための秘訣をお伝えいたしましょう。それは、まず、あなたや大人たちが、いつも子どもたちに言っていることを、自身でやることです。やっていないことを言っても、そこには説得力がなく、子どもが言うことをきくはずもありません。子どもは大人の「言うこと」ではなく、「やること」を真似しながら成長するからです。

　実はこれ、大人に対するマナー指導とまったく同じなのです。弊社のマナー講師に教えてもらうと、子どもも大人もすぐにマナーを身につける、と学校でも企業でもよくおっしゃっていただきます。即、結果を出す理由は、お伝えしたとおり、「教えるのではなく、伝える」「コミュニケーションをとるという気持ちで接する」こと。そして、「自分が言うことは、まずは、自分がやっている」です。

　子どもも大人も関係ありません。子どもも大人も、同じ『人』ですから。子どもに対しても敬意をもって接する気持ちは、とても大切なことです。

　あなたも、子どもに言うことをきいてもらいたいのであれば、まずは、自分自身がやってみせることが先決です。そうすれば、子どもはそれを見て、自らやるようになります。

POINT　子どもにも敬意をもって接する

「どの時期からマナーを教えるべき？」マナー教育の時期について

理想はお子さんと一緒に生活なさっている人たちにまずマナーが身についていることが大事で、ママのおなかのなかに新たな生命が宿っている時期から、マナーを伝えることが大切なことと考えます。

おなかの中にいる赤ちゃんに対して「おはよう」「元気かな？」「今日はいいお天気だよ」など、あいさつ言葉を実際に、話しかけながら、また、おなかを触りながらのコミュニケーションをとりながら生活をすることです。マナー教育は、その時点から始まっていると思います。

とはいえ、「え～そうなの!?　私やってなかったから、手遅れかしら？」と不安に思うことはありません。お子様が誕生し、3歳までと、10歳までが大きな節目と考えます。

まず、3歳までは、お子様に対して、良いこと（プラスの言葉）をどんどん話しかけます。

例えば、「○○ちゃん、今日も可愛いよ」「今日も元気に泣いてくれてありがとね」といった感じです。お子様を肯定する言葉をどんどん伝えて差し上げてください。そうすることで、人をねたんだり、ひねくれたりすることのない、プラス思考や感謝の気持ち、人様を敬い、褒める能力が育まれます。

私が5年間生活をおくっていた英国では、ママが赤ちゃんにミルクを飲ませるときに〝Ｐｌｅａｓｅ、Ｐｌｅｓｅ〟（プリーズ、プリーズ）「どうぞ、お飲みください」と言いながら飲ませます。すると、赤ちゃんが最初に発する言葉は〝Ｐｌｅａｓｅ〟。ですから、子どもたちは、幼少期から、常に相手を「どうぞ」と優先させることが身についています。これを英国では〝Please の精神〟といっています。

会話ができるようになってから10歳までは、お子様と、互いに良いコミュニケーションをとりながら生活をすることです。「あれやっちゃダメ、これやっちゃダメ」と一方的ではありません。また、「これはこうするのよ」といきなり答えを言うこともしません。共に会話をするのです。どうするのかというと、「こういうときは、どうすればいいと思う？」と質問をします。

例えば、駅のエレベーターに乗る前に、「○○ちゃん、これからエレベーターに乗るけど、ドアが閉まっているね。どうするの？」といった具合です。もちろん、周囲に大勢の人がいて邪魔になるような場所では控えますが、人に迷惑がかからない状況では、このような感じで質問をし、考えることを習慣にすることで、子どもに自然とマナーが身につきます。

その時期が10歳まで。10歳までに、自分できちんと考えて行動できる習慣を身につけるわけです。10歳までにこれを身につけることで、その後、周囲の状況をみて相手を思いやることもでき、自律や自立もできる子ども、人になります。

POINT

3歳までにプラスの言葉を話しかけ
10歳までにどんどん考えさせる

食事のマナーを教える際のコツがあります

食事のマナーは、しっかりと身につけさせたいと思う親や保護者の方はとても多いですね。しかし、これも、大人がマナーの本質を忘れては本末転倒です。まず、食事のマナーでもっとも大切なことは、その場にいる人たちと愉しく、笑顔で、美味しく食べることです。ですから、食事中に、あぁだこうだと食べ方をうるさく、厳しく言うのは、それこそ、マナー違反となりますので、要注意です。

　とはいえ、食べているときに教えてあげないと、と思うお気持ちもよくわかります。そこで、食事のマナーは、一日に3分でいいので、ご家庭で、「食事のマナー講座」のお時間を作ることをお薦めします。これは、食事中ではなく、座学としてママやパパがマナーの先生となって講義をするのです。そして、実際の食事中に、講義で伝えたことができているか、確認をします。

　そして、マナー違反をしたときには、「何やってんの！」「そうじゃないでしょ！」と言うのではなく、美しい音色のベルを鳴らしたり、子どもの好きなアニメの主題歌をイントロクイズのようにかけたりすることで、子どもには、自分が何かマナー違反をしたと気づかせるのです。「いただきます」を言わなかった、ソースを黙ってとったりすると、「チリン、チリン」という具合です。そして優しく、「最初に言うことあったよね」とか「黙ってとってよかったっけ？」という感じで、子どもに気づかせ、考えさせるようにします。そうすることで、口うるさくなることはありません。ある種のゲーム感覚で、愉しく、マナーを伝えてみてはいかがでしょうか。

POINT

おうちでマナー塾を開講！　ゲーム感覚で愉しくマナーを学ばせる

人前での叱り方、注意の仕方、意識していますか？

もしも、あなたが人前で注意をされたり、叱られたりしたら、どんな気持ちになりますか？

「なにも、今ここで言わなくても……」と思うのではないでしょうか。これは、子どもも同じです。

先日、あるお葬式で、自分の子どもや孫に対して、「きちんとお辞儀《じぎ》をしなさいよ」とか「静かに座っているのよ」と人前で事細かに指導をしている姿を見ました。その子たちが、騒いでいたのであればまだわかるのですが、何もしていないのに注意をしている光景に、行き過ぎた教育？　指導？　と、違和感を感じると同時に、その子どもたちを気の毒に感じてしまいました。

なぜ、その親や祖父母がそのようにしていたのかはわかりかねますが、人前で、「うちはきちんと教育をしていますよ」ということをアピールしているような感じを受け取った人たちも少なくなかったようです。

人前で叱ったり、注意をすることは、子どもの立場にたてば大変デリケートなことで、その子のトラウマにもなりかねませんから、慎重におこなうべきと考えます。

一方、子どもが騒いで、人様にご迷惑をかけているときには、それを止めさせるのが親、保護者、大人の役割でしょう。

例えば、レストランで食べ終わった後、親がコーヒーなどを飲みながら談笑しているときに、子どもたちは飽きてしまい、テーブルのまわりをウロウロと歩き回ったり駆け回ったりしている光景をよく目にします。このようなときに、親は自分たちのおしゃべりに夢中で、子どもたちに注意をせず、周囲のテーブルの人たちが、迷惑そうな顔をして食事をしていることがあります。

このような場合は、人前であっても、しっかりとお子様に対し注意を促し、周囲の人たちに迷惑をかけないように指導をする必要がありますね。保護者の皆様もゆっくりとお茶を飲みたい気持ちはわかりますが、お子様と一緒に外出をしているときは、お子様を第一に考えて、目配りをいたしましょう。

また、子どもたちが騒いで、周囲の人たちに迷惑をかけないように、用を済ませたらその場から早く出る、ということも、大人としてとるべき行動かと思います。子どもたちが騒がないような環境をつくってあげることも大人の役目といえます。

それでも、電車のなかなど、すぐにその場から立ち去ることができない環境の場合などもあるでしょう。人前で迷惑をかけると、まずはあなたのお子様がマイナスに思われてしまいますから、注意をすることは、周囲の人のためにも、あなたのお子様のためにもプラスになることです。

注意をするときは、「静かにしなさい！」とか「おとなしくしなさい！」と叱るのではなく、まず、周囲の方々に「失礼しました」「申し訳ありません」と会釈をしながらお詫びを伝えます。そのあとで、子ども達に対して、口で言うだけではなく、自分が立ち上がり、子どもの肩や手をとり、優しく「静かに座ってて」と伝えて、席に座らせ、頭をなでてあげます。これは、「あなたが悪いんじゃないのよ。ママがおしゃべりしていたから騒いでいたのよね。

ごめんなさいね」という気持ちの表れとなります。

このような言葉は、周囲の人の目があるので、その場で言うのではなく、お店などを出たあとに、きちんと伝えてあげると良いですね。

子どもは、自分の親が、自分のことで周囲の人に謝っている姿を見れば、悪いことをしたな、ということを自覚するでしょう。また、親がきちんと立ち上がって、自分の手をとり、席につかせてくれるその手のぬくもりから、親の愛を感じ取るはずです。このような親の姿を子どもは見ていないようで見ています。このような場面からも、あなたのマナー力次第で、親子の絆を深めていくことはできるのです。

POINT 子どもに恥をかかせない！温かい愛で包み込み、絆を深める

ちなみに…英国の子育て教育最新事情

私が英国で生活をしていた頃、子ども達の礼儀正しさに、毎日感心いたしておりました。見知らぬ私に対しても、朝、道やバス停で会えば、「おはようございます」とあいさつをしますし、落とし物をすれば、すぐに拾ってくれて「どうぞ」とにっこり微《ほほ》笑《え》んでくれます。これらは、常に意識を相手や周囲に向けているからこそできることであり、瞬時に相手の立場に立てるマナー力を子どもの頃から身につけているということは、それを親や大人がしっかりと伝えてあげている証にもなります。

英国は、現在も階級社会であり、アッパークラスの王室や貴族の方々は、マナーなどの教育係が、幼少期から遅くても10歳までには、一通りのマナーを子どもたちに身につけさせ、その後海外などの寄宿学校に入るケースをよく耳にします。近年は故ダイアナ妃など、自ら子どもたちにマナー、すなわち、他人に迷惑をかけない生き方を伝えてあげる傾向もありますね。

アッパーミドルクラスの人たちは、10歳までにひと通りのマナーを習得させるために、マナースクールに通わせます。ですので、特にロンドンでは、子どもたちがマナースクールに通っています。日本では、マナーと聞くと、堅苦しい、厳格な雰囲気をイメージする人も多くいますが、本来のマナーはそうではありません。それを英国では、見事におこなっています。それは、マナー教育の仕方です。

例えば、ご挨拶の仕方をレクチャーするときは、エリザベス女王やウィリアム王子などの等身大の写真やお面などかぶり、実際に、女王や王子と会う場面を想定して、ご挨拶の仕方などを学んでいきます。

マナースクールでは、日常生活のマナーから、社交界などでのプロトコル（国際儀礼）なども学びます。ですから、あなたのお子様も10歳までにひと通りのマナーを習得すれば、将来は、上流社会の仲間入りも夢ではありません。

ミドルクラスのお子さんもマナースクールに通うこともありますが、ワーキングクラスなどでも、学校でマナーを教えたり、家庭で親が伝えていきます。

私が滞在していた英国オックスフォードのホームステイ先は、ワーキングクラスのご家庭でしたが、子どもたちはみんな優しく、気配りができ、抜群のマナー力でした。

真のマナーとは、高級な服を着て、パーティに参加するために身につけるものではなく、日常生活において、人に対する気遣いや思いやりのある、優しい心を育み、互いに微笑みあえる環境をつくっていくことであると、英国での生活で学びました。

相手が大人であろうが、子どもであろうが、どんな相手にも敬いの気持ちをもって接する心をもった人が、社会に出たときに可愛がられ、愛され、いざというときに助けてもらったり、協力してもらえたり、幸せな人生を歩んでいけるのだと思います。私たち大人は、子どもたちの未来のために、型ではない真心のマナーを伝えていく必要がある、私はそう思うのです。

POINT　マナーは思いやりの心を育む

私共のモットーは、「マナーを愉しく学ぶ」です。マナーは堅苦しいと思われていますが、そうではなく、マナーを身につけることで、人生が豊かになり、愉しくなり、幸せになるいちばんの近道なのではないでしょうか？

私たちはそう思い、お互いがハッピーになる「真心マナー®」をこれからもお伝えしてまいります。

真心あるマナーをご家庭や学校で伝えていただき、皆様のお子様が思いやりのある子に育ち、互いを思いやれるご家庭、学校、社会を築くために、本書がお役にたてれば本望です。

キッズマナー講座に参加した方々からの声

私どもでは、人財教育の一環である、子育てマナーの専門家としても、保育園や小中学校、全国のカルチャーセンターなどで「キッズマナー講座」や「親子で学ぶマナー教室」などをおこなっています。そのなかで、特にご好評をいただいているのが「食事のマナー」「よそのお家でのマナー」「公共のマナー」の３つです。

子どもたちが定期的に、愉しみながらマナーを学ぶことで、実際にどのような変化が起きたのか、保護者の皆様や先生方からよく聞くの声の一部をご紹介します。

●「きちんと椅子にすわって、先生の話を聞くことができるようになった」

●「子どもたちから『こんにちは』などのあいさつを、先生やバスの運転手さん、お客さんにするようになった」

●「先生や子ども同士、家でも『～です』や『～ます』といった丁寧な言葉づかいができるようになった」

●「年下のお友だちや妹や弟に靴を履かせてあげたり、優しく接することができるようになった」

●「お箸やフォークやスプーンなどを上手につかって、ごはんを食べることができるようになった」

そして、なぜこのようにすぐにマナーが身についたと思われるのかを伺うと、

●「絵や道具をつかってマナーを愉しく学べたから」

●「お箸をつかったゲームは家でも親子でできるので、家でも毎日おこなったから」

●「自分（保護者）も初めて知ったマナーがたくさんあったので、自分自身が日常でマナーを子どもの前で実践するようになったから」

など、嬉しく微笑ましいご感想を多数いただいています。

子どもたちが愉しみながらマナーを身につけることは、結果的に周囲の大人たちを楽にもさせてくれ、お互いが笑顔になれる日常を生み出していきます。私たち大人も負けないように、日々、相手を思いやる心を忘れずに、子どもと一緒に、人として成長しつづけたいですね。

マナーは私たちを守り、幸せへと導いてくれます。あなたのお子様がマナーを身につけ、周囲の人から愛されて、幸せな人生を歩まれますよう、心より願っております。

マナーを身につけてステキなきみになろう！

著者紹介

西出ひろ子

マナーコンサルタント。美道家。ヒロコマナーグループ代表。「マナーは愛」をモットーにお互いを思いやる心を育む人財教育を学校や企業でおこなうマナー界のカリスマ。子どもも大人もみるみる変化する唯一無二の講義の仕方は、“ヒロコマナーマジック”と呼ばれている。現役のマナー講師や教員たちがこの講義手法を学ぶため、全国からの受講があとをたたない。英国での生活、起業などもおこない、世界の子育てマナー教育事情にも詳しい。著書は国内外にて多数。

ヒロコマナーグループHP
http://hirokomanner-group.com

川道映里

ヒロコマナーグループ 副代表、ファストマナースクール 四国代表。二児の母として子育て中にマナーの大切さが身にしみ、真心マナー® の提唱者 西出ひろ子に師事。その後、マナーコンサルタントとして、徳島を拠点に全国の学校や大学、企業などでマナー講義や研修をおこない、心をカタチにするマナーを伝えている。すぐに実践できるわかりやすい講義に定評がある。子どものマナーや、それに関わる保護者のマナーについて、「オトナンサー」にてコラム執筆など多数。

ファストマナースクール
http://www.fastmanner.com

10歳《さい》までに身《み》につけたい
一生《いっしょう》困《こま》らない 子《こ》どものマナー

2018年6月1日　第1刷

著　　者　西《にし》出《で》ひろ子《こ》
　　　　　川《かわ》道《みち》映《え》里《り》

発 行 者　小澤源太郎

責任編集　株式会社 プライム涌光
電話　編集部　03(3203)2850

発行所　株式会社 青春出版社
東京都新宿区若松町12番1号〒162-0056
振替番号　00190-7-98602
電話　営業部　03(3207)1916

印刷　大日本印刷　　製本　大口製本

万一、落丁、乱丁がありました節は、お取りかえします。
ISBN978-4-413-11258-1 C0037